Espiral/Fundamentos

PALOMA PEDRERO

CACHORROS DE NEGRO MIRAR

y

EL PASAMANOS

Introducción de Iride Lamartina-Lens

Prólogo de José Mas

Serie teatro

Editorial Fundamentos está orgullosa de contribuir con más del 0,7% de sus ingresos a paliar el desequilibrio frente a los Países en Vías de Desarrollo y a fomentar el respeto a los Derechos Humanos a través de diversas ONGs.

Este libro ha sido impreso en papel ecológico en cuya elaboración no se ha utilizado cloro gas.

En la lengua española para todos los países
Caracas, 15. 28010 Madrid. ☎ 91 319 96 19
E-mail: fundamentos@infornet.es

Primera edición, 2001

ISBN: 84-245-0900-5
Depósito Legal: M-43.346-2001

Impreso en España. Printed in Spain
Composición Francisco Arellano. Asterisco
Impreso por Printing Book, S.L.

Diseño de cubierta: Gianni Ferraro.

ÍNDICE

OBRAS

Introducción

Paloma Pedrero es una de las dramaturgas más innovadoras y controversiales del teatro español actual. Una sólida configuración del texto dramático, reforzada con planteamientos estéticos comunes, define sus obras. A través de un estilo realista y directo en el que subyace una enorme poesía, la dramaturga recrea un mundo desgarrado y lleno de contradicciones. Sus personajes contemporáneos y verosímiles se expresan con una jerga callejera de un registro idiomático joven. Pedrero hace, pues, un esfuerzo concienzudo por revitalizar el interés de los jóvenes por el teatro, por conectarse con las preocupaciones y las inquietudes de una generación afligida por el enajenamiento, la confusión y la incompatibilidad entre los valores tradicionales y la realidad actual.

Su obra choca contra los cánones establecidos y aborda abierta, desafiante, y provocativamente temas tan polémicos como la búsqueda de la identidad sexual, el desajuste entre la libertad personal y el compromiso afectivo, la dificultad en establecer relaciones íntimas equilibradas, la soledad, la locura, la frustración, el amor y el desamor.

Pedrero engendra personajes reales y cautivadores que viven en el aquí y el ahora, pero que también actúan llevados por un verdadero sentido de la libertad personal, logrando así trascender la retórica política superficial. Estos individuos suelen vivir al margen de la sociedad, y su realidad se nos presenta con los detalles minuciosos del hiperrealismo. El objetivo de la dramaturga —de teatralizar el vivir cotidiano— se logra al plasmar la expresión oral viva en unos diálogos cotidianos, desnudos y chocantes, llenos de repeticiones, silencios, pausas y clichés insignificantes, como síntoma de la incapacidad de los personajes centrales para enfocar y articular su propia situación dentro de una realidad desolada y sin esperanza.

En el teatro de Pedrero se destacan unos recursos lingüísticos que no sólo rechazan el predominio jerárquico del discurso masculino, sino que incorporan la verbalización de la palabra callada y el lenguaje sugestivo femenino. Este planteamiento estético recalca un mundo interior femenino que era desconocido hasta hace muy poco en la dramaturgia española.

Paloma Pedrero es uno de los autores más reconocidos dentro del teatro contemporáneo de las dos últimas décadas, y su nombre traspasa las fronteras de España.

Desde 1982, ha estado profundamente ligada al teatro, ya sea como dramaturga, actriz, maestra de escritura teatral, directora de escena o empresaria teatral.

Debido a su versatilidad artística, que despliega en todas las facetas del arte dramático, su obra refleja no sólo un conocimiento íntimo del teatro, sino un compromiso dinámico y total con la sociedad de su tiempo a través del escenario.

Algunas de sus obras como *La llamada de Lauren, El color de agosto* o *Una estrella,* forman ya parte de la historia más reciente de la literatura dramática española.

Las obras recogidas en la presente edición, *Cachorros de negro mirar* y *El pasamanos* —como verá el lector, aparentemente muy diferentes entre sí— tienen en común uno de los rasgos presente siempre en el teatro de Paloma Pedrero: la atención a los seres marginales, débiles y desvalidos, a aquellos a quienes el poder ideológico, político o económico, maltrata y convierte en víctimas.

José Mas ha preparado un prólogo a ambas piezas en el que analiza la estructura de las obras y describe desde su sensibilidad crítica, sus principales componentes. A buen seguro el trabajo de Mas ayudará al lector en esa tarea apasionante que consiste en profundizar en el texto teatral tras su primera lectura.

Hemos recuperado, además, el editorial que la revista teatral *Primer Acto* dedicó a nuestra autora con motivo de la primera publicación en sus páginas, en 1995, de *El pasamanos*.

Espero que ustedes disfruten tanto como yo leyendo estas obras con ese sabor único que posee el teatro de Paloma Pedrero.

IRIDE LAMARTINA-LENS
Catedrática de Literatura Española
Pace University, NewYork

Prólogo

Si para Sartre «el infierno son los otros», para Paloma Pedrero el infierno está también dentro de uno mismo, y hemos de bajar a nuestras simas más turbadoras y terribles para extraer de ellas el filón de la comprensión y de la justicia. Purificados por tal experiencia de conocimiento, intentaremos quitarle a la justicia su carga generalizadora para humanizarla con la equidad, y mediante dos instrumentos poderosos, la intuición y la capacidad de diálogo, podremos penetrar en la piel de los otros. De esta suerte procuraremos hacer nuestros los problemas ajenos, no para regodearnos en la impotencia ni en la angustia, sino para, en la medida de nuestras posibilidades, buscarles una solución, si la tienen, y si no la tienen, nunca habrá sido baldío el esfuerzo de escuchar y de compadecerse (padecer con el otro).

Paloma Pedrero, mezcla extraña de ingenuidad y de sabiduría, apuesta por intentar cambiar el mundo desde una posición individualizada o minoritaria de piedad y amor. Desde luego, con esta fórmula sugestiva, pero modesta, no podremos luchar contra el poder destructor del pensamiento único y del dinero que, como sucede con el agua de algunas fuentes, no fluye sino en apariencia, pues se recicla siempre en las mismas manos: la inmensa mayoría de los hombres nos beneficiamos de las salpicaduras programadas. Paloma Pedrero pretende crear un mundo paralelo regido por las leyes del amor y el arte.

CACHORROS DE NEGRO MIRAR

Cachorros de negro mirar es una obra de aprendizaje cuyo núcleo vertebrador es la violencia gratuita, que resulta más dañina aún al disfrazarse con el pomposo nombre de «ideal». Surcos adiestra a Cachorro en el destructivo arte de irse desprendiendo de sus sentimientos para poder, desde la insensibilidad y la crueldad, atacar al débil y al indefenso, pues el mundo sólo puede tener sentido si se erige sobre lo que es fuerte y puro, pureza de mármol que aplasta lo que es diferente.

A escala reducida la relación Surcos-Cachorro reproduce la existente en cualquier grupo totalitario, donde en aras del bien común de unos pocos, se persigue al otro con odio inmisericorde y se sacrifica la propia individualidad subordinándola a lo colectivo.

La doctrina de la violencia que Surcos profesa se apoya en un doble supuesto: rechazo del mundo burgués del bienestar y vivencia del tedio con su lucidez y su crudeza. Estos personajes ansían destruir el mundo porque no les gusta y porque se aburren, pero no poseen otro mundo de recambio.

El tedio que la obra nos presenta es diferente del finisecular del XIX, ávido de nuevas experiencias placenteras y exaltador del «yo» frente a la sociedad. Difiere también del tedio alrededor del cual se estructura el teatro de Chéjov o el de Beckett. Los personajes chejovianos revisten de palabras hueras el vacío de sus vidas en las que el tiempo se congela. El teatro de Beckett se sitúa en el límite de la espera desesperanzada.

Pero el aburrimiento de *Cachorros de negro mirar* necesita llenarse de sangre, no de la sangre que circula por las propias venas, sino de sangre derramada. Surcos mantiene una constante actitud de desafío hacia Cachorro: para acelerar el tiempo de la espera registra los cajones de la casa y lo revuelve todo, con la intención de hacer trizas los ideales familiares que aún conserva el discípulo. Sólo cuando Cachorro esté vacío de iniciativa y, por lo tanto inerme, estará preparado para hacer todo aquello que se le ordene.

Cachorro actúa siempre a la defensiva, aunque en ocasiones pueda pasar al contraataque; con todo, hasta la llegada de Bárbara no se atreverá a poner en tela de juicio la doctrina del maestro.

También en el diálogo, ágil y contundente, nutrido de una oportuna jerga juvenil, se reflejan el poder avasallador de Surcos y la defensa, un tanto desmantelada, del oponente. Surcos abruma al otro con vocativos rebajadores como «pequeño», «niñato», «soldado», y con cambios de registro destinados a romper todo intento de comunicación amistosa entre ambos, así cuando Cachorro elogia la forma de hablar de Surcos, éste replica con alarde machista:

—SURCOS.— Sí, tengo talento en la lengua.
—CACHORRO.— Joder...
—SURCOS.— Sobre todo cuando la meto en el coño de tu hermana.

Estructura

La obra puede dividirse en las siguientes escenas:

En la primera nos hacemos cargo del vivir mezquino y peligroso de los personajes mediante muy pocas palabras y acciones sabiamente escogidas por su eficacia dramática (uso aquí la palabra *dramática* en su doble acepción vital y escénica).

Algunos objetos adquieren carácter de símbolos que materializan la ausencia de los familiares y que anticipan acontecimientos de gran importancia. Tal sucede cuando Surcos rompe el falo del tótem, prefigurando una castración que aún no ha pasado por su mente. O cuando la propia silla de ruedas pasa de ser un simple instrumento lúdico a un instrumento de simulación, lo que da pie a la autora para desarrollar una técnica muy querida por ella: la del teatro dentro del teatro. También será la silla de ruedas el artefacto capaz de devolverle a Cachorro la humanidad perdida. Parece como si el hecho de haber sido inválido un momento y en la ficción, le diera al personaje una dimensión nueva: la piedad por el débil.

En la segunda escena Surcos tiene un encuentro tenso con Bárbara, a la que cree travesti, por lo que la trata con ambigüedad, unas veces en masculino y otras en femenino, pero siempre con desprecio. Así, por ejemplo, cuando le espeta con doble sentido: «Vas a cobrar en efectivo, muñeca». O cuando se queda perplejo ante las piernas de la chica y ésta le dice que su madre también las tiene así, él arguye: «¿Eres tontito o es que te gusta vacilar?».

Tras este tanteo, en el que va creciendo el desprecio de Surcos, contrapunteado por leves toques admirativos —que bien pudieran encubrir una homosexualidad vergonzante— que desencadena en Bárbara un evidente malestar, se suceden tres escenas o secuencias que constituyen el auténtico nudo dramático.

Podríamos visualizar el bloque escénico en un variado muestrario de colores: el blanco maternal de la ternura o el rojo de la seducción y el orgasmo por parte de Bárbara; el negro destructor de Surcos —siempre presente aun cuando esté fuera de escena—; el amarillento del miedo; o el enlodado color del desprecio de Cachorro, que también procura, finalmente, conseguir un verde claro de complicidad y ayuda.

El desenlace se articula también en una triple escena: después de ser alertada Bárbara del riesgo que corre, irrumpe Surcos furioso en la estancia, dispuesto a realizar su absurdo plan de venganza. La tensión entre los dos personajes se va haciendo insoportable mientras Cachorro intenta conciliar lo inconciliable. Cuando la inminencia del peligro parece ya imparable, Cachorro se enfrenta a Surcos, y Bárbara aprovecha la situación para dejarlos momentáneamente solos y ciegos mediante su espray defensivo. A través de la ceguera repentina se hace la luz en el cerebro de Cachorro, por la que percibe la esencia aniquiladora de la doctrina de quien ya no reconoce como su maestro.

El final es un grito de interrogación que pide la colaboración del espectador: la obra queda deliberadamente abierta entre la justicia esperada y el castigo tan temido.

Los elementos escénicos

Con muy pocos elementos acierta Paloma Pedrero a poner en pie un microcosmos veraz donde no puede habitar el olvido. Con tres personajes que, a veces, forman un triángulo isósceles y que, al fin, resulta ser escaleno, la autora construye un cuadro de incomunicación y de violencia. En una hora y diez minutos de duración real y escénica la autora nos hace patente el espesor del drama.

La acción se sitúa a las seis de una tarde bochornosa de agosto madrileño en el espacio cerrado de un salón de familia acomodada. Una puerta delimita un espacio interior aludido y otro exterior supuesto.

Como ya hemos dicho, algunos objetos se cargan de intención simbólica. La breve acotación inicial nos da en síntesis los signos escénicos relevantes: la silla de ruedas —sobre la que se siente gravitar el cuerpo del abuelo ausente y sobre la que pesa el escarnio de la ficción—, el tótem africano —que centra desde el comienzo el tema de la agresión sexual y la castración anunciada—, y las botas militares y camisetas con emblemas, que hablan por sí solos. Unos pocos elementos más contribuyen a crear el ambiente familiar que quiere estropear Surcos, como la botella de Chivas del padre o la foto y el liguero de la madre.

Hay dos elementos más que cobran categoría de signos imprescindibles en la trama escénica: el periódico y el teléfono. A través de ellos se ponen en comunicación el espacio exterior y el íntimo y puede tener lugar el conflicto. El teléfono acumula en sí la tensión de la espera en otra obra de nuestra dramaturga: *La noche dividida.*

El periódico es el resorte esencial sin el cual no existiría la obra. Yo descompondría así los valores polisémicos del periódico:

Reflejo social y político visto desde una perspectiva distorsionada.

Descubrimiento, al azar, pasando sus hojas, de un entretenimiento bárbaro y, en opinión de los personajes, «purificador».

Instrumento de equivocación y de fuerte sorpresa al comprobarse que Bárbara no tiene nada que ver con el travesti anunciado.

Y ansias de borrar una tarde que es el reflejo abreviado de una vida, cuando Cachorro lo hace cachitos.

El espray oportuno se convierte en una especie de *deus ex machina* que hace brotar la oscuridad salvadora frente a la luz, dominio del fuerte. Podría haber en esta escena una reminiscencia vaga del pugilato entre el ciego David y Luis Valendin en *El concierto de San Ovidio*.

El machete es un objeto contundente y traicionero que parece ayuda indispensable para Surcos quien, a juzgar por lo visto en escena, no debe tener tanta fuerza como de la que alardea. Curiosamente el machete es derrotado por un espray, instrumento de defensa, y un cojín, sucedáneo del falo. Así pues, triunfa de lo duro y lo agresor, lo envolvente y lo blando. También en *El color de agosto*, otra importante obra de nuestra autora, será una carta la que derrotará a unas tijeras.

El lenguaje

El diálogo entre Surcos y Cachorro está lleno de órdenes, interrogaciones, vocativos y fórmulas insultantes, tacos, etc. Como síntesis de casi todo lo que hemos apuntado puede valer este diálogo de nueva argumentación socrática (cuando Surcos termina de ojear los anuncios eróticos del periódico):

—Son putas.

CACHORRO.— Sí, putas guarras.

SURCOS.— Muy bien, Cachorro, cómo aprendes, qué rápido... ¿quieres una?

CACHORRO.— ¿Yo? ¿Para qué?

SURCOS.— No, no aprendes. Eres cortito, niñato. No tienes surcos en la cabeza. ¿Para qué se quiere una puta?

CACHORRO.— Para follar.

SURCOS.— Bien, ¿pero para qué quieren hombres como nosotros a una puta?

CACHORRO.— Para darle de ostias.

SURCOS.— Bravo, pequeño. Qué luces...

El lenguaje de Bárbara se tiñe de fórmulas maternales más o menos lexicalizadas, como el vocativo «hijo» y variados diminutivos: «Tú no te preocupes por nada, bonito, tú tranquilo, ¿eh?, que yo soy jovencita pero muy profesional»; «Puedes darte un paseíto»; «¡Si lo he cogido del baño! Está limpita. (*Acercándose a* CACHORRO.) No seas tonto, si da mucho gustito.»

A veces el diminutivo tiene un contenido erótico sin apartarse, en ocasiones, del tono protector: «Oye, que he echado el cerrojo. (*Seductora.*) Así que tranquilo. Ya estamos solitos tu y yo, Albert y Bárbara, Bárbara y Albert...»

En la escena sexual que protagoniza con la ayuda del cojín entre las piernas, se derrama en expresiones de autocomplacencia, de las que entresaco dos diminutivos que podríamos calificar de preorgásmicos: «Tu ingle, tu liquidito, tu olor... Ahora tu lengua, tu saliva fresquita, tu leche... Dámela, échamela en la boca».

También Surcos usa varios diminutivos con intención irónica, en especial dirigidos a Bárbara, como «loquita», «mujercita» o «favorcito» cuando tiene la intención de castrar a quien cree un travesti.

La jerga juvenil usada da verosimilitud al tema tratado. Desde la primera a la última palabra de la obra el lenguaje se presenta como un arco siempre tenso por la violencia de lo que se ordena o de lo que se planea para escarnecer al otro

Paloma Pedrero es maestra siempre en condensar en muy pocos instantes una biografía. Y además, la impronta de vida y de arte la graba en la memoria usando un lenguaje funcional y pobre, deliberadamente pobre y extremadamente preciso.

El pasamanos

El ambiente que se respira en *El pasamanos* desde la primera acotación es el opuesto de *Cachorros...*: aquí vemos una humilde vivienda que, gracias al desvelo de Ada, no agobia con su estrechez sino que resulta acogedora. Es un atardecer de junio y un haz de luz primaveral entra por una modesta, pero imprescindible ventana, la dulzura ambiental choca con el bochorno insufrible del agosto de *Cachorros...*; también contrastan la puerta del retrete con la del cuarto de baño acomodado, y la empinada escalera que lleva a una calle de barrio popular con la invisible escalera de un barrio lujoso.

Poco después sabremos que la escalera no tiene pasamanos y, por ello, la casa es una ratonera para un personaje cojo y anciano; pero ese pasamanos que ha actuado como obstáculo insalvable durante nueve años para que Segundo pueda bajar a la vida apacible de la calle con sol, niños y palomas, empieza a ser una esperanza gracias a la espera de una visita: la de una reportera de televisión.

El diálogo entre Segundo y Adela está hecho de retazos de incomunicación —pronto nos enteraremos de que Adela está sorda— que, no obstante, encajan en una comunicación esencial. La sordera de Adela es un indudable acierto dramático por los siguientes rasgos, que facilitan momentáneos desencuentros en aras de un encuentro verdadero: Adela, pese a su edad y condición es coqueta y no se fía ni quiere fiarse del «sonatón», y por nada del mundo quisiera que la televisión la sacara con este aparato que detesta. Su temperamento práctico le lleva a limar las asperezas del carácter del marido, indicándole el camino que más le favorece, especialmente ahora frente al anunciado reportaje. En última instancia también registra la desconfianza femenina frente a la mecanización de la vida.

El diálogo entre Ada y Segundo va progresando en torno a los ruegos de ella para que el marido salga favorecido ante las cámaras, y las órdenes de él —reflejo de un ser tal vez por minusválido más exigente— junto a la sostenida negativa a ponerse la corbata que Ada le ofrece. Adela muestra su recelo ante el poder televisivo insistente: «La televisión lo coge todo». La primera vez que hace esta afirmación apostilla con indudable gracia: «A veces salen algunos que hasta parece que les huele mal el aliento...».

El discurso de Ada se va hilvanando alrededor de un hilo central: la rememoración de la boda entre ambos cincuenta años atrás; son objetos cargados de la esencia nupcial de los recuerdos la corbata rechazada, los calcetines y el anillo de oro, aceptado a regañadientes por Segundo, quien a lo largo de la obra hará gala de una enorme dignidad que, sin embargo, está tejida también de miedo a salir de la costumbre y autoconmiseración.

Desde el principio Segundo quiere denunciar ante la opinión pública el abuso de poder de la casera. Aunque pronto intuye que su fuerza está precisamente en el padecimiento al que ha ajustado su vida, por lo que le resultará difícil ingresar en la senda trillada de la normalidad.

El motivo del anillo es una lírica evocación en la que Segundo contempla sus manos de antaño, conocedoras de la fruta, y aliadas con la mirada en la solicitud complaciente de las compradoras.

Tras la breve escena de la escalera entre la periodista y el cámara, irrumpe ésta en la casa de Segundo para verificar la autenticidad de los datos necesarios para el reportaje.

Durante la preparación y realización del mismo hay varios momentos de aproximación y de desencuentro. Mientras Segundo está en el retrete, Ada intenta, en vano, la complicidad de la periodista, que nunca deja de estar en su papel: el de una profesional que, ante todo y por encima de todo, quiere obtener audiencia.

El afán de justicia, en general, y el de revancha, en particular, dicta el proceder de Segundo que, al final y con la colaboración de su mujer, no tiene más remedio que pisar el terreno que a Mercedes le interesa: mostrar el dolor en vivo.

El lenguaje de Mercedes está salpicado de valoraciones altisonantes y consejos pragmáticos llenos de impaciencia. Esta actitud distanciadora tiene como fin inducir a los personajes a que muestren su dolor en vivo para convertirlo inmediatamente en material de espectáculo y cebo de audiencia.

La escena segunda se sitúa tres días después, rompiendo la unidad de tiempo que a menudo respeta Paloma Pedrero. Por la acotación inicial sabemos un dato que todavía ignora la pareja: se trata de la existencia del pasamanos.

Al comenzar la escena vemos a Segundo derrotado por el lado sensacionalista del reportaje y porque, sin consultárselo, se incluyó en el programa una entrevista con la casera.

Luego se produce el descubrimiento del pasamanos, que despierta la admiración y la desconfianza en la pareja, la cual comprueba la seguridad y la materia de que está hecho. La desconfianza se genera porque no entienden que la obra haya sido llevada a cabo a escondidas y sin comunicárselo.

La explicación se gradúa en tres momentos muy bien elegidos: primeramente Mercedes llama a la puerta y baja las escaleras corriendo para que la cámara capte el primer instante de sorpresa ante el descubrimiento del pasamanos. Ada, al asomarse a la mirilla, comprueba con asombro que no hay nadie y, sin embargo, la escalera está fuertemente iluminada, por lo que exclama: «Hay luz. Mucha luz. Una luz horrible...».

El carácter inexplicable de la invasión luminosa provoca el temor en Segundo. Este tramo escénico tiene un efecto antitético al del desenlace de *Cachorros de negro mirar.* Allí era la oscuridad la propiciadora de una revelación: el vacío existencial de los personajes; aquí la luz produce pánico, porque ilumina un vacío en el que se agazapa una intención manipuladora: violar la intimidad para volverla espectáculo.

La segunda llamada de Mercedes acrecienta el miedo de los personajes, que siguen sin ver a nadie.

A la tercera llamada de Mercedes, Segundo amenaza con llamar a la policía, por lo que la periodista ha de notificar su presencia y comunicar su objetivo. Al ver el pasamanos, Segundo pregunta por tres veces también: «¿Quién ha puesto el pasamanos?». Esta pregunta, que quiebra la seguridad de Mercedes, es muy importante para el protagonista, pues él lo que quería era la justicia que entrañaba la rendición de la casera. Al comprender que ha sido la compasión, los donativos de los espectadores, y no la justicia la que ha obrado el milagro, se enfurece y golpea con la muleta el pasamanos; esta instantánea tendrá mucho valor en las manos de la reportera para doblegar la firmeza del personaje y hacerlo negociar, pues ella también defiende su puesto de trabajo y su vida.

Hay un forcejeo entre Mercedes y Segundo en el que finalmente la periodista le promete traer un comunicado, que ha redactado el propio Segundo, firmado por la casera, y en el que consta que ha sido ella la que pagó el pasamanos. Ada, que había sido un tanto marginada, apuesta, como siempre, por la vida: «Segun, mírame. Hoy tú y yo, vamos a ver juntos la primavera.»

La última escena sucede tres horas después y puede descomponerse en tres partes o tramos:

Segundo y Adela hacen tiempo jugando a las cartas y hablando acerca de lo que va a pasar a partir de ahora: Segundo se escuda en sus temores y reticencias mientras Ada acaricia el proyecto de una felicidad pequeña, pero poco antes impensable.

El segundo tramo lo constituye la vuelta de Mercedes con los papeles firmados y el intento de filmar en directo la bajada de Segundo. Un accidente imprevisto cambia radicalmente los planes de Mercedes.

En el desenlace, totalmente inesperado, Ada toma en sus manos de hada los hilos del destino y fuerza a Segundo a romper su caparazón de miedo y de orgullo.

Objetos que son espejos de una vida amenazada

Las muletas de Segundo y el «sonatón» de Ada establecen a su modo un diálogo callado: las muletas son un límite que ayuda al personaje a excitar la compasión de los televidentes y que, paradójicamente, actúa como elemento salvador que aleja a los manipuladores de su vida.

El «sonatón» es también un límite para la coquetería legítima de la mujer. Es un objeto que siempre anda perdido o averiado, y que le sirve al personaje de pantalla tras la cual puede esconder, cuando lo estima oportuno, su conocimiento exacto de la realidad.

La escalera sin pasamanos es el medio central del drama doméstico, que a nadie le importa hasta que no se convierte en materia de espectáculo. Cuando se produce la instalación de la barandilla gravitan sobre ella los sentimientos más contradictorios: desconfianza, miedo, impotencia y, finalmente, la liberación.

La empinada escalera orienta los sentimientos en una doble dirección: por ella sube la ayuda, pero también el poder avasallador de la televisión. Al bajar presenta un doble sentido: prueba a la que se somete Segundo para mostrar cuál es su temple y escalera nupcial en las palabras de Ada, que trata de recuperar así un trozo de la felicidad primera.

Dos objetos más contribuyen a reforzar este sentimiento nupcial: el anillo y la corbata.

Aunque el anillo ya no se ajusta al dedo, Ada ve en la alianza la materialización de su cariño y de su compromiso. La corbata, ya pasada de moda, sigue siendo un motivo de ilusión y de distinción social para la mujer. Segundo ya no se siente a gusto con esta prenda.

La cámara actúa como ojo violador de la intimidad, que resulta cegado en el momento crucial.

Por último, entran en competencia dos carpetas: la de los papeles de Segundo, en los que han sido depositados nueve años de lucha, y la de Mercedes con el informe sobre el caso, base del morbo televisivo. A la postre ambas carpetas resultan inservibles.

Resortes dramáticos

Los principales resortes que ponen en marcha la acción y la van haciendo avanzar, detenerse o, incluso retroceder, son éstos:

Preparación por parte de Segundo y Adela del ambiente más propicio para filmar el reportaje. Los dos resortes clave en la creación de este ambiente son la pulcritud y la dignidad en mostrar el sufrimiento.

Al llegar Mercedes tantea el terreno buscando el cebo para su programa. La repetición de su frase: «Es tremendo, ¿no?», choca con la afirmación resignada de Ada, pero encrespa el ánimo de Segundo. En el entretanto, Mercedes desliza con cautela la mención de donativos por parte de los televidentes; ello provoca la respuesta digna del personaje, que rechaza de plano la compasión, ya que quiere el triunfo de la razón.

Una vez en marcha el reportaje, la filmación se interrumpe cuando la reportera no logra su objetivo de inspirar piedad en la audiencia. Además de las manipulaciones que tendrán lugar más tarde en el montaje, Ada se presta finalmente a hacer de su dolor y del dolor del marido, materia de espectáculo.

En la segunda escena aparece el pasamanos ante el espectador, aunque los personajes lo desconocen aún y Segundo se encuentra anonadado por la falsedad del reportaje. Ada consigue impulsarlo de nuevo a la lucha.

Al descubrir el pasamanos, Segundo cree que se ha rendido la casera, aunque ninguno de ellos comprende por qué se ha puesto el pasamanos de forma clandestina.

Mercedes trata por tres veces de filmar la mirada sorprendida de la pareja y la que resulta sorprendida es ella. De todos modos, tiene una filmación en sus manos —cuando Segundo golpea la barandilla pidiendo insistentemente que la quiten— que usará más tarde para derrotar al oponente.

En el desconcierto entre lo esperado y lo obtenido, Mercedes se humaniza momentáneamente; pero ante la insistencia de que mande quitar el pasamanos, recupera su papel de profesional que no puede jugarse el puesto. Y en el chantaje lleva las de ganar.

Segundo consigue, no obstante, la promesa de que quien pagará será la casera.

La escena termina con la profesión vital de Ada, que aguarda la colaboración del esposo.

En la escena tercera Segundo recibe el documento firmado por la dueña del piso.

Son resortes muy bien pulsados el miedo y la desconfianza de Segundo, que pasa por varias fases: desde la duda, casi impotencia, al iniciar el descenso, al miedo disfrazado de reivindicación justa hacia el final, pasando por la caída salvadora.

Tras la caída, Ada da un viraje imprevisto al rebelarse contra Segundo y al usar un lenguaje fuerte, ella, tan comedida en toda la obra: « Yo te pido ahora, por el tiempo que nos queda, que vuelvas a ser... que le eches... cojones Según...»

SEGUNDO.— ¡Ada!

ADELA.— Cojones, sí, y que bajes esos cuatro escalones conmigo.

El desenlace de *El pasamanos*, muestra uno de los rasgos originales de la escritora a menudo presente en sus obras: la capacidad de las mujeres para descubrir una realidad velada, su capacidad para transformarla en algo mejor.

* * *

Cachorros de negro mirar y *El pasamanos* son dos obras que en una apresurada percepción pueden parecer muy distantes entre sí: el tipo de conflicto que las alienta y da vida a la acción, las edades de sus protagonistas, el lenguaje, la composición dramática, son rasgos que avalan ese primer juicio.

Pero tras la lectura sosegada se percibe en ambas el genuino universo creativo de Paloma Pedrero, en el que mezcla con extraordinaria sabiduría dramática unas estructuras diestramente construidas al servicio de una indagación profunda en los conflictos humanos, unos personajes apasionantes y cargados de matices, unos desenlaces abiertos a la esperanza y al cambio.

Original universo que hace de la obra de esta dramaturga una imprescindible referencia dentro del teatro español contemporáneo.

JOSÉ MAS

Editorial de la revista *Primer acto*, número 258, 1995

En nuestra permanente atención a los autores y autoras del teatro español contemporáneo, hacía tiempo que nos faltaba el nombre de Paloma Pedrero, de la que no habíamos tenido la oportunidad de publicar ninguna de sus obras. Esa oportunidad ha surgido gracias a un texto que Paloma ha entregado a la redacción tras escribir su última línea. Un artículo de Virtudes Serrano, listo para el caso, nos ha permitido redondear el propósito.

En *El pasamanos* reencontramos algunas de las constantes del teatro de Pedrero. De nuevo aparece en el centro del drama la relación de la pareja, es decir, el sentimiento del amor, esta vez vivido de una manera dulce y delicada, quizá porque la edad de los personajes los pone fuera de las compulsiones del sexo, el dominio y la agresión que existen en otros dramas de la autora.

En el teatro de Paloma suele haber una patética apetencia de paz, una agonizante frustración de la pareja que, en esta ocasión, sin traicionar esa inquietud, se resuelve de un modo distinto y a partir de otro estado de ánimo. El amor es ahora amistad, apoyo y ternura mucho antes que combate y posesión; si ello se justifica en parte por la edad y condición física de los personajes, a fin de cuentas es una elección decidida libremente por la autora, que, además, ha eliminado en ellos ese resentimiento que caracteriza tantas veces a las parejas ancianas. Otro rasgo, inherente a la generación de Paloma Pedrero —penúltima, y todavía marcada, en la forma, por el naturalismo; en el contenido, por la alegoría crítica— es la confrontación con la realidad social, el rechazo de los valores dominantes y del comportamiento agresivo del orden establecido. En principio ese orden está representado en la obra por un programa de televisión y por su intromisión en la vida privada de los personajes; tras ese conflicto evidente —en la obra y en la realidad de numerosos programas realizados por nuestras cadenas de televisión—, subyace, más allá de la anécdota, un abuso de poder y un acto de degradación del individuo que han acabado por ser considerados una exigencia del medio y una muestra de la eficiencia profesional.

El pasamanos es un texto de clara e ilustre filiación en el teatro español moderno, al menos del que, desde los tiempos de *La camisa*, de Lauro Olmo, *Un hombre duerme*, de Rodríguez Bouded, o *El grillo*, de Carlos Muñiz, ha intentado acercarnos a los conflictos de personajes oscuros, con la fundada sospecha de que constituían la más ajustada expresión de la realidad social. El deliberado carácter «antiheróico» de los personajes, su pertenencia a la sociedad silenciosa y, de algún modo, vencida, son rasgos que, contra lo que el teatro de héroes y seres excepcionales presupone, les dan un valor ejemplar y prestan a sus conflictos personales la dimensión de una alegoría colectiva.

José Monleón

OBRAS

CACHORROS DE NEGRO MIRAR

Ficha artística

Cachorros de negro mirar se estrenó en la Sala Cuarta Pared de Madrid el día 7 de enero de 1999, con el siguiente reparto:

CACHORRO: Dani Martín
SURCOS: Txemi Parra
BÁRBARA: Natalia Garrido

Dirección escénica: Aitana Galán
Producción: Robert Muro

Personajes

CACHORRO
SURCOS
BÁRBARA

(*Salón de estar de clase media burguesa. En el centro un tótem africano con un gran falo.*

Madrid. Fin de semana. Seis de la tarde. Agosto. CACHORRO *y* SURCOS, *dos chicos de diecisiete y veintidós años respectivamente, se aburren. Visten botas militares y camisetas con emblemas.* SURCOS, *el mayor, juega con una silla de ruedas.*)

SURCOS.— (*Mirando el tótem.*) Alucino, no dejo de alucinar. ¿Cómo se puede tener semejante monstruo en el salón de una casa?

CACHORRO.— Ya te he dicho que es un tótem.

SURCOS.— Es una bestia empalmada. (*Le toca el pene.*) ¡Qué pedazo de...!

CACHORRO.— No lo toques, tío. Es una talla muy valiosa. Se la trajeron mis padres de un viaje.

SURCOS.— Es para provocar, ¿no?

CACHORRO.— Es arte, Surcos. Representa el emblema de una tribu.

SURCOS.— Ah, yo creía que era un perchero. (*Cuelga la gorra en el pene.*)

CACHORRO.— (*Quitando la gorra.*) Vale, pasa ya del tótem, te tiene colgao... ¿Por qué no hacemos algo?

SURCOS.— (*Girando en la silla.*) ¿Qué hora es?

CACHORRO.— Las seis.

SURCOS.— Abre otra botella. Todavía nos quedan dos horas de aburrimiento.

CACHORRO.— Queda un poco aquí. (*Se lo sirve.*) A Ron no le gusta que vayamos bebidos.

SURCOS.— Yo me paso por los cojones a Ron. Abre la buena, la de la caja. (*La coge.*)

CACHORRO.— No, ésta no. No quiero broncas con mi padre.

SURCOS.— Vamos, niño, que se joda. Estoy aburrido. (*Abre la caja.*)

CACHORRO.— (*Quitándosela.*) Que no, tío, que luego me joden a mí. Mi padre es un capullo que usa el Chivas sólo para las ocasiones.

SURCOS.— Mejor entonces. Mira. (*Saca la botella llena de la caja y mete la vacía. La guarda en su sitio.*) ¿Has visto, pequeño? Para algo nos ha dado Dios la cabeza.

CACHORRO.— (*Molesto.*) No me llames pequeño. Me llamo Cachorro.

SURCOS.— (*Avanzando en la silla de ruedas.*) Los cachorros son estúpidos y pequeños mientras no se hacen machos y fuertes. (*Da contra la figura del tótem. El falo se rompe.*)

CACHORRO.— (*Recogiendo el falo asustado.*) Joder, tío, ya lo has conseguido. Mi vieja me la arma. (*Intenta reconstruirlo.*)

SURCOS.— (*Riéndose.*) ¿Tu vieja también es roja?

CACHORRO.— No sé.

SURCOS.— ¿Cómo que no sabes? ¿Es esa de la foto?

CACHORRO.— Claro.

SURCOS.— Está buena, ¿eh? ¿Todavía tiene las tetas duras?

CACHORRO.— (*Intentando quitarle la foto.*) Trae. Dame eso, Surcos...

SURCOS.— Eh, tranquilo, colega, que las madres son sagradas... ¡Qué tarde de mierda...!

CACHORRO.— Si quieres podemos ir hacia el centro y tomar algo por allí. Así vamos viendo el panorama.

SURCOS.— Bah, me asquea el panorama. Tengo bastante con entrar en el infierno a partir de las ocho. A ver si se mueven un poco los árboles... Mira, sudo como un bestia.

CACHORRO.— ¿Adónde vamos a ir hoy?

SURCOS.— A la guinda de la mierda. Los domingos siempre a la guinda.

CACHORRO.— ¿Línea doce?

SURCOS.— Muy bien, pequeñín, vas aprendiendo... (*Después de una pausa.*) ¿Te gusta dar caña?

CACHORRO.— Claro.

SURCOS.— No lo tengo yo tan claro contigo. Eres un poco blandito, niño.

CACHORRO.— No me jodas.

SURCOS.— Lloras mucho, ¿verdad?

CACHORRO.— Déjame en paz.

SURCOS.— El otro día te daba pena aquel negrazo cabrón.

CACHORRO.— (*Acercándose agresivo a* SURCOS.) Deja de tocarme los huevos...

SURCOS.— Ah, ¿pero tienes de eso?

CACHORRO.— (*Le agarra.*) Te estás pasando...

SURCOS.— Anda, dame una de tus caricias. (CACHORRO *le da un puñetazo.* SURCOS *ríe.*) Bien, muy bien, cachorrito. Así me gusta. (CACHORRO *ríe.*)

CACHORRO.— Te gusta probarme, ¿eh?

SURCOS.— Yo soy tu profesor, chaval. Yo te daré el título, si te lo ganas. Así que en esta sillita anda tu abuelo. (CACHORRO *asiente.*) Pues hoy debe ir andando con los cojoncillos.

CACHORRO.— Ja, qué gracioso.

SURCOS.— ¿No está con tus viejos en la sierra? (CACHORRO *asiente.*) Ah, entonces es que tiene otra de montaña.

CACHORRO.— ¿Por qué no te metes un rato con tu familia?

SURCOS.— Ahora voy. Cuando acabe con la tuya. A ver... ¿No hay nada divertido en esta casa aparte del alcohol? (*Abre algún cajón.*)

CACHORRO.— ¡Estate quieto, joder!

SURCOS.— ¿No te dejan tus padres traer amiguitos?

CACHORRO.— Vale, tío.

SURCOS.— ¿Entonces por qué te dejan tanto tiempo solo? (*Sin pausa.*) Vamos, en todas las casas hay guardado algún tesoro. Venga, vamos a buscarlo. (*Comienza a sacar cosas de los cajones.*)

CACHORRO.— Te estás pasando, Surcos. ¿Qué buscas?

SURCOS.— No sé, una caja fuerte, un rubí, una pistola...

CACHORRO.— Estás de broma...

SURCOS.— Mira, niño, ¿qué es esto?

CACHORRO.— No sé, cosas de mi madre.

SURCOS.— ¿Qué hace un liguero en el salón? (*Lo besa.*)

CACHORRO.— Dámelo, tío. Trae.

SURCOS.— Ah, ¿así que tu madre se lo monta con el tótem...?

CACHORRO.— Te he dicho que me lo des.

SURCOS.— No. Quítamelo si puedes. (*Corre riéndose. De un salto se sube al sofá y juega con el liguero.*) Vamos, quítamelo.

CACHORRO.— (*Nervioso, salta con habilidad y lo agarra. Pelean.*) Dame eso, suelta, tío. (*Retuerce la muñeca de* SURCOS.)

SURCOS.— (*Soltando el liguero.*) Joder, me has hecho daño. ¡Qué carácter más violento! (*Se ríe.*) Así me gusta.

CACHORRO.— Es la rabia. Yo también tengo.

SURCOS.— ¿A qué?

CACHORRO.— No sé.

SURCOS.— (*Con ironía.*) Oh, qué claridad. Así vas a llegar tú muy lejos.

CACHORRO.— Yo qué sé, tío. La rabia es la rabia, está adentro. Por eso intento buscar una salida, unos ideales.

SURCOS.— No te mola el mundo, ¿verdad?

CACHORRO.— Éste no. Creo que la forma de pensar de mis viejos es muy peligrosa. Mira lo que han hecho, mira cómo están las cosas.

SURCOS.— (*Con cachondeo.*) ¿Cómo?

CACHORRO.— La gente... la gente anda perdida. Ese rollo de la libertad, la igualdad y eso... En el fondo es puro egoísmo, lleva al caos.

SURCOS.— Cómo te explicas, genio.

CACHORRO.— Joder, tío, yo qué sé. Pienso lo que vosotros, que hay que cambiar el mundo, hacerlo de otra manera más radical. Controlar, poner a cada uno en su sitio... Estar menos solos, menos jodidos.

SURCOS.— Uy, qué tristeza... Pasa la botella.

CACHORRO.— Yo necesito algo que sea muy fuerte, que me mueva por dentro. Me estaba quedando agilipollao, ¿sabes?

SURCOS.— Ah, ¿sí? ¿Y en qué lo notabas?

CACHORRO.— Pues... en que no sentía, no me apetecía nada. Pasaba de todo.

SURCOS.— Eso está muy bien, no sentir. Ese es el camino de la sabiduría. Sabes, tío, yo a tu edad también estaba desquiciado. Ahora ya no tengo corazón. Tengo aquí algo duro, como un fósil o un hueso... Bueno, tal vez no haya nada. Antes me daba miedo. Pensaba que era un monstruo. Ahora, desde que estoy en el grupo, estoy tranquilo, sé que soy un elegido. (*Se toca el pecho.*) Por eso no tengo nada aquí.

CACHORRO.— No digas chorradas, ¿cómo no vas a tener corazón? Otra cosa es que lo tengas jodido.

SURCOS.— Lo que te estoy diciendo es que yo no estoy aquí para sentir. Estoy aquí para pensar, ¿entiendes? Y sobre todo para decidir. Necesito el poder para cambiar el mundo. Soy un elegido, ya te lo he dicho.

CACHORRO.— Pero eso es chungo, ¿no?

SURCOS.— ¿Por qué?

CACHORRO.— No querrás a nadie.

SURCOS.— No se necesita querer para poner las cosas en su sitio. Yo quiero el orden. Me mueve ver lo guapo que es el mundo cuando cada uno está en su lugar. Y lo feo, lo débil, lo enfermo, lo negro, no tiene lugar.

CACHORRO.— Y por eso no tiene que existir.

SURCOS.— Exactamente.

CACHORRO.— (*Confuso.*) Es todo un lío...

SURCOS.— No es ningún lío, pequeñín. Lo que pasa es que tú todavía sufres demasiado. Quizá te falta madera para ser uno de los nuestros. Ya veremos...

CACHORRO.— Me gusta que hablemos, conocernos un poco. Así podríamos llegar a ser amigos...

SURCOS.— (*Da un golpe en el suelo como movido por un resorte.*) ¿Tienes por ahí una baraja?

CACHORRO.— ¿Para qué? ¿Quieres que juguemos?

SURCOS.— No, quiero que hagas un solitario. Te estás poniendo muy pesado.

CACHORRO.— Pensé que estaría bien conocernos, hablar de nosotros...

SURCOS.— (*Inquieto.*) Hay que conocerse en la acción, chaval. No en las palabras. Cómo me mola este sofá. Cuero puro y duro para culos exquisitos. (*Echa un lapo.*)

CACHORRO.— No seas cerdo.

SURCOS.— (*Canturreando.*) Qué calor... Qué aburrimiento... Qué asco... Venga un poco de gasofa. (*Bebe.*)

CACHORRO.— ¿Quieres que ponga la tele?

SURCOS.— No jodas. Hasta las siete no hay un puto partido que echarse al cuerpo. ¿O es que quieres que veamos un culebrón? Eres tan romántico, pequeñín.

CACHORRO.— Mejor paso de ti.

SURCOS.— Muy bien dicho. Hale, vete a peinarte.

CACHORRO.— (*Ojea un periódico, después se lo muestra.*) ¿Has visto? Estamos de moda. Acabarán haciéndonos famosos.

SURCOS.— Este es uno que se llama «el manco». En una pelea le rebanaron el dedo gordo. Tiene una mirada inconfundible el cabrón... Y le gusta salir en las fotos. Acabará de presidente del gobierno. (CACHORRO *le ríe la gracia.* SURCOS *continúa ojeando el periódico.* CACHORRO *coge un cómic. Después de una pausa.*) Basura, basura, basura... Todo asquerosa basura. Estos políticos son una tribu contagiosa. Contagian excremento de cerebro. (*Se ríe.*) Qué asco de caretos... Todos iguales, con sus gafas, sus arrugas viejas, y luego ese uniforme tan feo: traje oscuro, camisa clara y corbata con toque de color. Bah, parecen payasos podridos.

CACHORRO.— (*Que le ha estado mirando con admiración.*) Hablas bien. Muy... correcto.

SURCOS.— Sí, tengo talento en la lengua.

CACHORRO.— Joder...

SURCOS.— Sobre todo cuando la meto en el coño de tu hermana.

CACHORRO.— ¡Qué cabrón estás hecho!

SURCOS.— Me aburro, muñeco. Madrid en agosto es una barbacoa de carne humana. (*Se huele la axila.*) ¿Tienes desodorante?

(CACHORRO *va a buscarlo al baño.* SURCOS *pasa las hojas del periódico bostezando. De pronto se le ve interesado por alguna página. Mira hacia la pared como pensando algo. Sonríe.*
CACHORRO *vuelve con el desodorante.*)

CACHORRO.— Toma. (*Juega a pulverizar a* SURCOS.) Es de espray.

SURCOS.— Trae aquí, soldado, que te voy a perfumar yo a ti... (*Le pulveriza los genitales.*)

CACHORRO.— Quita, estate quieto...

SURCOS.— (*Insistiendo.*) Ahora te explicaré el porqué.

CACHORRO.— Cuidado tío...

SURCOS.— Perfumadito como un novio...

CACHORRO.— ¡Vale, te estás pasando!

SURCOS.— (*Para y le observa.*) ¿Te has duchado hoy?

CACHORRO.— ¿Y eso?

SURCOS.— Yo soy bastante cerdo.

CACHORRO.— No, no me he duchado.

SURCOS.— ¿Ves? Por eso te echo desodorante. Para que no te huela el capullo.

CACHORRO.— Joder, Surcos, desodorante en el capullo, qué daño...

SURCOS.— Estás amariconao, Cachorro.

CACHORRO.— Gracias.

SURCOS.— Gracias por qué.

CACHORRO.— Por llamarme Cachorro.

SURCOS.— Amén. Anda, bendíceme.

CACHORRO.— ¿Qué dices?

SURCOS.— Que tienes músculos de bestia y alma de cura. Gracias, gracias, gracias. ¿Para qué? Hay que vivir pisando fuerte y sin dar las gracias ni a Dios. ¿Sabes por qué me llaman a mí Surcos? Por mi inteligencia. Mi cabeza por dentro, ¿entiendes? Tiene surcos, grietas, pozos inmensos...

CACHORRO.— ¿Vacíos?

SURCOS.— No, imbécil, llenos de ideas, de ricas ideas que me convertirán en el jefe de la tribu. (*Se ríe. Serio de pronto.*) Bueno, chaval, tengo una misión para ti. ¿A qué hora vienen tus viejos?

CACHORRO.— ¿Para qué?

SURCOS.— ¡A qué hora vienen, joder!

CACHORRO.— Tarde. ¿Por qué?

SURCOS.— Porque vamos a hacer una fiesta. (CACHORRO *hace un gesto negativo.*) Que no, hombre, que es una broma, vamos a trabajar. Trabajo a domicilio. (*Coge el periódico.*) Escucha atentamente, soldado: (*Lee.*) «Lolita. Quince mil. Permanentemente¨. O «Pelirroja, preciosa. Disfrutarás». O «Hazme el amor. Marta, veintiún años, escultural¨. (*Levanta la vista hacia* CACHORRO.) Son putas.

CACHORRO.— Sí, putas guarras.

SURCOS.— Muy bien, Cachorro, cómo aprendes, qué rápido... ¿Quieres una?

CACHORRO.— ¿Yo? ¿Para qué?

SURCOS.— No, no aprendes. Eres cortito, niñato. No tienes surcos en la cabeza. ¿Para qué se quiere una puta?

CACHORRO.— Para follar.

SURCOS.— Bien. ¿Pero para qué quieren hombres como nosotros a una puta?

CACHORRO.— Para darle de ostias.

SURCOS.— Bravo, pequeño. Qué luces... Ahora vamos a llamar a una. Yo te invito. Tú te la follas y luego entre los dos le damos una manita. ¿Okey?

CACHORRO.— (*Asustado.*) Bah, yo paso de follar. Mejor te la follas tú y luego entre los dos le damos una manita.

SURCOS.— ¿No serás maricón?

CACHORRO.— Qué dices, tío. Pero las putas me dan asco. Están infectadas todas.

SURCOS.— (*Mirándole con seriedad.*) A veces tenemos que hacer cosas que no nos gustan, ¿entiendes? ¿Para qué están los ideales? Hay que sacrificarse, soldado. Por la causa.

CACHORRO.— Ya, claro. Pero a esto no le veo el sentido. Que venga, le hacemos una putada y ya está.

SURCOS.— Tienes que sacarle información, estúpido. Apuntar, apuntar calles, nombres de gente, de antros... ¿Entiendes? Y para eso tienes que follártela antes. Abrirla un poco, ¿entiendes?

CACHORRO.— Pero...

SURCOS.— ¡Es una misión!

CACHORRO.— (*Desconfiado.*) ¿Quién lo ha dicho?

SURCOS.— ¿Cómo?

CACHORRO.— Tú no puedes ordenar misiones.

SURCOS.— ¿Por qué?

CACHORRO.— Tú sabes por qué. Eso es cosa de los de arriba.

SURCOS.— (*Grita.*) ¡Viva la patria!

CACHORRO.— ¡Viva!

SURCOS.— (*Más alto.*) ¡Viva la patria!

CACHORRO.— (*Más alto.*) ¡Viva!

SURCOS.— Muy bien, mierda. Cuando yo grito tú respondes. Y sabes que si no obedeces te vas al arroyo. ¿Sabes dónde está eso? ¿Sabes quién está probando tu cabeza de helado de vainilla derretido?

CACHORRO.— (*Atemorizado.*) Pero es muy fuerte. Yo llevo muy poco tiempo en el grupo. Esto es una pasada.

SURCOS.— Eres virgen.

CACHORRO.— ¿Eh?

SURCOS.— Ya es hora de que la metas. Es muy agradable, Cachorro.

CACHORRO.— Con putas no.

SURCOS.— Hace hombre meterla fuerte, rápido. Como de una patada. No hacen falta besitos ni chorradas. Tú como el que mete la llave en la cerradura de su casa cuando está a punto de mearse.

CACHORRO.— No. Mejor vámonos, podrían adelantarse mis viejos...

SURCOS.— (*Le agarra agresivo.*) Vamos a trabajar, ¿me oyes? (*Le suelta y coge el periódico.*) A ver... Una putilla cualquiera no. Algo de lujo: una negra, un travesti...

CACHORRO.— Estás zumbao...

SURCOS.— (*Mirándole con violencia.*) ¿Qué?

CACHORRO.— Prefiero una negra.

SURCOS.— Negra... negra... Aquí está: «Brasileña, belleza escultural, senos perfectos. Recibo en ligueros. Pubis rubio.» Mierda, es rubia. Esta no. (*Sigue buscando.*) No veo negras, ¿dónde se han metido las chocolatinas? Ah, qué veo por aquí... «Bárbara, travesti. Diosa del sexo. Supertetas. Superdotada. Jovencísima. También a domicilio» (*Mira a* CACHORRO.) Esta es la nuestra. (*Coge el teléfono y se dispone a marcar.*)

CACHORRO.— (*Cortando.*) Espera, espera Surcos.
SURCOS.— ¿Qué pasa, soldado? Es lo mismo, sólo que estos son más cariñosos.
CACHORRO.— No es lo mismo.
SURCOS.— Es igual, sólo que tienes que entrar por la puerta de atrás. (*Se ríe.*)
CACHORRO.— Ron dice que nada de sexo. Ron...
SURCOS.— (*Golpeando la mesa.*) ¡Mierda puta! ¿Quién manda aquí? Sí, ¿quién es tu jefe, soldado? ¡Contesta!
CACHORRO.— Tú.
SURCOS.— ¿Quién va a decidir tu futuro? ¿Quién?
CACHORRO.— Tú.
SURCOS.— Pues yo no quiero gallinas. Vamos, a trabajar. (*Coge el teléfono.*)
CACHORRO.— (*Aterrorizado.*) Oye...
SURCOS.— (*Agarrándole del cuello.*) ¿Qué?
CACHORRO.— Hay algunos travestis que miden dos metros y tienen unas espaldas así.
SURCOS.— ¿Y qué?
CACHORRO.— Que somos sólo dos.
SURCOS.— (*Sacando un machete.*) Tres. Y éste tiene el colmillo afilado. (*Dando una palmadita a* CACHORRO.) Vamos, valiente, confío en ti. (*Marca el teléfono del periódico. Cambia el tono de voz para hablar.*) Oiga. Sí, buenas tardes... Mire, llamaba por lo del anuncio.... Ah, es usted... Sí, quería contratar sus servicios... No, a domicilio, en mi casa... No se preocupe por el dinero... Sí, venga a mi casa y le explicaré... Apunte: calle Enebro dieciséis. Espere un momento. (*A* CACHORRO, *tapando el auricular.*) ¿Tercero qué?
CACHORRO. - Izquierda.
SURCOS.— Oiga, sí, perdone, le estaba diciendo que es el tercero izquierda... Eso es. ¿Cuánto tardará?... Sí,

coja un taxi, corre de mi cuenta... Hasta ahora. (*Cuelga. Riéndose excitado.*) En diez minutos comienza la función. Vamos, niño, no me mires con esa cara de idiota. Venga, saca ropa de tu padre y zapatos. Vamos a disfrazarnos de basura pacifista.

CACHORRO.— Mejor... mejor mi ropa, tío. Yo tengo ropa vieja de... esa. De nuestra talla. Voy a traerla. (*Sale.*)

(SURCOS *mira la silla de ruedas y sonríe. Pone música. Grita y baila desaforado como celebrando su gran idea. Aparece* CACHORRO *con un montón de ropa en la mano.*)

CACHORRO.— Mira...

SURCOS.— Uy, qué asco, cuánta marca, cuántos colorines, soldado.

(CACHORRO *baja el volumen de la música. Ambos comienzan a quitarse las botas.*)

CACHORRO.— Es de cuando iba al colegio... Este año lo he dejado.

SURCOS.— (*Probándose la ropa.*) Ésta con la mariposa para mí.

CACHORRO.— Paso de ir a la Universidad. ¿Para qué? Antes pensaba estudiar Derecho. Pero me he dado cuenta de que las leyes son una trampa, un rollo para mantener las cosas como están. No hay justicia, tío. Y yo paso de hacerle el juego al sistema. ¿Tú estás estudiando?

SURCOS.— Yo ya me he licenciado, chaval. (*Se ríe.*)

CACHORRO.— Sí, en Cirugía Plástica.

SURCOS.— Eso. Pero qué ingenioso... Venga, date prisa, que va a empezar la fiesta.

CACHORRO.— Le damos un buen susto y ya está, ¿eh? No quiero sangre aquí.

SURCOS.— Eso lo decido yo.

CACHORRO.— Es la casa de mis viejos, nos puede denunciar.

SURCOS.— Ya, un putito haciendo una denuncia del hijo de un abogado importante. No digas gilipolleces, Cachorro.

CACHORRO.— Golpes bueno, pero sangre no, ¿eh?

SURCOS.— (*Mirándole con su nueva vestimenta.*) ¡Qué pinta de pijo...! Venga, siéntate ahí.

CACHORRO.— ¿Dónde?

SURCOS.— Ahí, en la silla del abuelo. Te llamas Pablo, ¿no?

CACHORRO.— Pero...

SURCOS.— Que cómo te puso tu madre. ¿Cómo?

CACHORRO.— Sí, Pablo, pero...

SURCOS.— (*Riéndose.*) Pablo y yo Pedro como los santos.

CACHORRO.— A mí no me lo pusieron por ningún santo. Creo que fue por un tío, un tal Pablo Iglesias.

SURCOS.— Ése era un rojo de mierda.

CACHORRO.— (*Arrepentido de habérselo dicho.*) No sé. ¿Y a ti por qué te pusieron Pedro?

SURCOS.— ¿Y a ti qué coño te importa? Bueno, vale, por el santo. Fue por el santo. (*Se toca la cabeza.*) Pero ahora soy Surcos, tu jefe. Venga, siéntate ahí, Pablo. No, mejor Pablo no. Ahora te vas a llamar... Alberto, Albert. ¿Te gusta? Te llamas Albert y eres inválido. Sí, tuviste un grave accidente de tráfico hace dos años. A ver, ¿sabes mover las ruedecitas?

CACHORRO.— Venga, tío, no desbarres. ¿Para qué tanto rollo?

SURCOS.— ¡Es una misión! Tienes que darle pena, mucha pena para que abra bien el culo y la boca. Tienes que sacarle nombres, lugares de encuentro... ¿Y qué hay mejor que la compasión?

CACHORRO.— Pero yo... yo no sé hacer de inválido. Yo no sé actuar. No entiendo nada, tío.

SURCOS.— Venga, siéntate. (*Le sienta en la silla de ruedas. Muy convincente y sincero.*) Hale, tranquilízate, Cachorro. Es un juego, un juego de hombres de pura raza. Tienes que confiar en Surcos. Mira, si no me fallas a lo mejor te licencio. Y hasta te rapo. Todos hemos pasado por esto alguna vez. A ver, déjame pensar... Tú estás paralizado de cintura para abajo.

CACHORRO.— (*Aliviado.*) Vale, entonces no puedo joder.

SURCOS.— Qué dices, hombre, no seas trágico. La polla te funciona.

CACHORRO.— (*Levantándose.*) Vale, tío, te estás pasando. Yo me abro.

SURCOS.— Tú te quedas aquí porque yo me quiero divertir, ¿te enteras? O es que ahora me vas a resultar un cobarde. Pues ya sabes lo que pasa con los traidores.

CACHORRO.— Bueno, pero sin sangre. Sin una gota de sangre.

SURCOS.— Escucha, ahora yo le recibo y le explico la situación. Es un favor de amigo que te hago, ¿entiendes? Tú mientras tanto esperas en tu cuarto. Después te saco y te dejo a solas con «ella». Yo salgo y espero por ahí... Cuando acabes me avisas y vengo a pagar. «Ella» no se va ir sin cobrar, ¿entiendes? ¡Viva la causa!

CACHORRO.— (*Apagado.*) Viva.

SURCOS.— Vamos a ensayar. A ver, mueve las ruedecitas. (CACHORRO *comienza a moverse en la silla de ruedas deprisa, con habilidad y nerviosismo.* SURCOS, *divertido, juega a imitar a un travesti.*) Muy bien, muñeco, cómo conduces el car... Pues yo me llamo Bárbara y tengo una polla como una olla.

CACHORRO.— Qué bestia eres, tío.

SURCOS.— Ahora soy Bárbara, muñeco. Y no te pienses que soy bestia, soy muy dulce y cariñosa. ¿Sabes? En el fondo no tengo vocación de puta. Me hubiera gustado mucho más ser actriz de cabaret. Mira, mira cómo canto. (*Imita a Liza Minelli en* Cabaret. CACHORRO *le observa perplejo.*) Oh, dime algo. ¿Te ha gustado?

CACHORRO.— Lo haces muy bien. Pareces un perfecto maricón, Surcos.

SURCOS.— (*Levantándole de la silla.*) Eso no me lo dices ni en broma, niñato. (*Le vuelve a sentar.*) Vamos, échale un poco de imaginación, chaval. Todos los grandes hombres de la historia fueron grandes actores. (*Vuelve a fingir la voz.*) ¿Cómo me has dicho que te llamabas?

CACHORRO.— Cachorro.

SURCOS.— No, gilipollas, Albert. Te llamas Albert y te quedaste paralítico en un accidente de tráfico. ¿Cómo te llamas, guapo?

CACHORRO.— Albert.

SURCOS.— Ah, qué bonito. ¿Y cómo te quedaste paralítico?

CACHORRO.— En un accidente de tráfico.

SURCOS.— Qué pena... Pues se te ve muy cachas por arriba. ¿Eres paralímpico?

CACHORRO.— ¿Qué dices?

SURCOS.— Que pareces un atleta.

CACHORRO.— Sí, corro los cincuenta metros obstáculos, no te jode.

SURCOS.— Ay, qué simpático. Entonces podrás bailar, ¿no?

CACHORRO.— Sí, «bacalao»...

SURCOS.— Pues baila. (SURCOS *comienza a cantar y a girar la silla con violencia.*) Baila, baila, baila...

CACHORRO.— Para, joder, para. (*Le agarra los brazos.*) No sé a qué juegas.

SURCOS.— Juego contigo. Me divierto, estúpido.

CACHORRO.— No me mola este juego. Vámonos...

SURCOS.— De eso nada. La señorita está a punto de llegar y vamos a esperarla. Toma, bebe si tienes miedo.

CACHORRO.— No tengo miedo.

SURCOS.— Bravo Cachorro. Hoy te voy a hacer un hombre de verdad, de los nuestros. Verás, «ella» se puede poner así, sentadita en tus piernas... Y tú te agarras fuerte... Agárrame.

CACHORRO.— Déjame, ya me las arreglaré.

SURCOS.— Vale, yo me haré una paja mientras oigo vuestros gemidos. (*Ríe.*)

CACHORRO.— ¿Tienes condones?

SURCOS.— No te preocupes, hombre, el mocito se encargará de todo. (*Suena el telefonillo de la calle.*) Ahí está ese asqueroso. Hale, tú al cuarto. (*Amanerando la voz.*) Ah, y no olvides la «pluma». Ya has visto, ¿verdad, nena? A ver si se va a mosquear la loca... Voy a abrir. (CACHORRO *se mete en el cuarto.* SURCOS *sale a abrir el portal. Vuelve rápidamente y ordena el salón. Pone música romántica.*) Ya sube, Albert. Ah, yo me llamo Adolfo. (*Gritando.*) ¡Adolfo! ¿Me oyes?

CACHORRO.— (*Desde el dormitorio.*) Sí.

(*Suena el timbre de la puerta.* SURCOS *cierra la habitación de* CACHORRO *y sale a abrir. Al instante aparece con* BÁRBARA. *Es alta y fuerte pero muy guapa y femenina.*)

SURCOS.— Pasa, siéntate, estás en tu casa. ¿Quieres tomar algo?

BÁRBARA.— No gracias. Bueno es que yo cobro por tiempo trabajado. (*Mira su reloj.*) ¿Cuánto quieres? ¿Una hora? ¿Dos?

SURCOS.— Oye, eres muy atractiva para... y muy joven. ¿Quién te deformó la cabecita tan pronto?

BÁRBARA.— ¿Cómo dices?

SURCOS.— Nada, mujer, una broma.

BÁRBARA.— El tiempo ha empezado ya, ¿eh?

SURCOS.— (*Controlando su furia.*) El tiempo no importa. Vas a cobrar mucho. Todo lo que quieras.

BÁRBARA.— Vale. ¿Tienes coca-cola?

SURCOS.— Creo que sí. Escucha, no es para mí. El servicio, quiero decir. Te he llamado yo pero es para un amigo mío.

BÁRBARA.— (*Sorprendida.*) Ah, ¿sí? ¿Y dónde está?

SURCOS.— Chist... Ahí, en el cuarto. Verás, él es muy joven y muy tímido. Bueno, la verdad es que tiene un problema.

BÁRBARA.— Ya empezamos...

SURCOS.— Es un... discapacitado.

BÁRBARA.— ¿De dónde? Yo con los retrasados de la cabeza no trabajo.

SURCOS.— Qué va, mujer, sólo tiene un problema en las piernas. No las siente, ¿sabes?

BÁRBARA.— Bueno, si sólo es eso no se las toco y listo.

SURCOS.— Está en una silla de ruedas.

BÁRBARA.— Vaya, pues sí que empiezo yo bien. ¿Y no se puede levantar ni nada?

SURCOS.— Hombre, nada...

BÁRBARA.— ¿Se le levanta lo que se le tiene que levantar o no? Vamos al grano.

SURCOS.— No lo sé.

BÁRBARA.— Es que yo cobro lo mismo, ¿eh? ¿Quién me va a pagar?

SURCOS.— Yo, yo, claro. Es un regalo que le hago, un favor de amigo. Verás, el chico es virgen todavía y está algo asustado.

BÁRBARA.— ¿Pero le va esta marcha o no? Que tampoco quiero yo pervertir a nadie.

SURCOS.— Sí, claro que le va, «mujer». Aunque todavía no tiene las cosas claras del todo. Es muy joven, ¿comprendes?

BÁRBARA.— Bueno, esto lleva un plus. Sí, un plus. Si todo es normal son veinte mil la hora. Pero en casos excepcionales como éste, cinco más por la silla de ruedas y otras cinco por el desvirgue.

SURCOS.— ¡Qué cacho cabrón!

BÁRBARA.— ¿Qué?

SURCOS.— Nada, chica, nada, que de acuerdo. Por el dinero no hay problema.

BÁRBARA.— Okey, pues dame las treinta y saca al inválido.

SURCOS.— ¿Ahora?

BÁRBARA.— Yo cobro por adelantado. Ya te he dicho que no me hago cargo de los resultados. Tampoco admito reclamaciones.

SURCOS.— ¿Aceptas visa?

BÁRBARA.— ¿Qué dices, cielo, es que te crees que esto es un gran almacén? Pues sólo me faltaba a mí moverme con una maquinita de esas. (*Hace el gesto.*) Yo en efectivo.

SURCOS.— Vas a cobrar en efectivo, muñeca.

BÁRBARA.— ¿Por qué me miras así?

SURCOS.— Es extrañeza. Pareces una hembra de clase A.

BÁRBARA.— Oye, pues, lo que soy, guapo. Tengo clientes así... (*Hace el gesto con los dedos.*)

SURCOS.— Ya. (*Haciendo el gesto de «muchos» con la mano.*) Hay así, ¿verdad? (BÁRBARA *asiente.*) Qué asco de país.

BÁRBARA.— No seas agresivo. La gente tiene derecho a elegir su vida sexual. Tú también tienes pinta de estar muy solo... (*Se le acerca.*)

SURCOS.— (*Retirándose.*) Quita, que vomito...

BÁRBARA.— Eres un poco cerdo, ¿no? Pues si quieres te enseño los análisis. Estoy más limpia que la nácar...

SURCOS.— Que sí, muñeca, que era una broma.

BÁRBARA.— Pues de muy mal gusto.

SURCOS.— (*Reprimiéndose.*) Voy al cajero automático a sacar los «pluses».

BÁRBARA.— Bueno, si no te llega... Si quieres sácame ya al inválido y ganamos tiempo.

SURCOS.— Pero qué generosa eres...

BÁRBARA.— Soy legal. No me gusta estafar a nadie.

SURCOS.— (*Antes de salir.*) ¿Cómo has conseguido esas piernas?

BÁRBARA.— ¿Qué les pasa?

SURCOS.— Son totales. De fina maniquí.

BÁRBARA.— Bueno, hago aeróbic todos los días. Pero sobre todo son de herencia. (*Coqueta.*) Mi madre también las tiene así.

SURCOS.— ¿Eres tontito o es que te gusta vacilar?

BÁRBARA.— Ay, hijo, saca a tu amigo, que tú eres más rarito también... Y no me mires así.

SURCOS.— ¿Cómo te miro?

BÁRBARA.— No sé. Pero no me gusta.

SURCOS.— Voy a por el chico. Y pórtate bien con él, ¿eh? No sabe nada de la vida.
BÁRBARA.— Mira el experto...

(SURCOS *entra en el dormitorio y saca a* CACHORRO *en la silla de ruedas.*)

SURCOS.— Mira, éste es Albert. Aquí Bárbara.
BÁRBARA.— Hola. (*Se ríe.*) A ti nadie te dice nunca que te sientes, ¿verdad? Ay, hijo, perdona, se me ocurren unas cosas...
CACHORRO.— (*Mirándola incrédulo.*) Hola.
SURCOS.— Vamos, Albert, dale un beso.
BÁRBARA.— Oye, eso es cosa nuestra. Pues menudo metomentodo. Tú, aire, al cajero a por las pelas.
SURCOS.— Te voy a capar.
BÁRBARA.— ¿Eh?
CACHORRO.— Es..., es un bromista total. A mí también me lo dice.
SURCOS.— (*Dando unas palmaditas a* BÁRBARA, *sonriente.*) Así es. Bueno, guapa, yo me retiro.
BÁRBARA.— (*A* SURCOS.) ¿Antes de irte podrías traerme esa coca-cola? ¿Tú quieres algo, Albert?
CACHORRO.— No, gracias.

(SURCOS *la mata con la mirada y sale.*)

BÁRBARA.— Tú no te preocupes por nada, bonito, tú tranquilo, ¿eh?, que yo soy jovencita pero muy profesional.
CACHORRO.— ¿Te gusta?
BÁRBARA.— ¿Trabajar? Ay, hijo, depende. Con chicos así, en silla de... estas, no he probado nunca. Pero ya nos apañaremos. ¿Puedo pasar al baño?

CACHORRO.— Sí, hay uno ahí.

BÁRBARA.— Voy a lavarme mis partes, ¿sabes? Tendréis bidé, ¿no? (CACHORRO *asiente. Está realmente paralizado.*) Ahora vengo.

(CACHORRO *no sabe qué hacer. Mira hacia todos los lados como intentando huir. Se levanta pero oye pasos y vuelve a sentarse en la silla de ruedas. Entra* SURCOS *con dos coca-colas.*)

SURCOS.— ¿Dónde está la loca?

CACHORRO.— En el baño.

SURCOS.— Está buena, ¿eh? Si no fuera por lo que le cuelga. Si quieres luego se lo cortamos.

CACHORRO.— ¡Qué dices...!

SURCOS.— Es un favorcito. Tan mujercita, tan mona, y con esa monstruosidad entre las piernas... Así se ahorra la operación. Un tajo limpio y ¡zas!, mujer completa.

CACHORRO.— No digas burradas, Surcos. Me has prometido...

SURCOS.— (*Cortándole.*) Adolfo, gilipollas. Y no te he prometido nada.

(*Entra* BÁRBARA *con una palangana llena de agua.*)

BÁRBARA.— Qué baño más bonito. ¿De quién es la casa?

SURCOS.— Uy, uy, uy... qué indiscreta.

BÁRBARA.— Oye, perdona. Ay, hijo, vaya carácter...

SURCOS.— Sí, me voy al cajero que se me están cargando los diablos y... (*A* CACHORRO.) Dame las llaves. Las llaves, Albert. (CACHORRO *se las da de mala gana.*)

BÁRBARA.— Puedes darte un paseíto. Yo calculo que dadas las circunstancias en una media hora habremos terminado.

SURCOS.— ¡Tú a lo tuyo! ¿De acuerdo? Avísame cuando acabes, Albert. (*Coge la botella de whisky y sale.*)

BÁRBARA.— Tu amigo es maricón.

CACHORRO.— ¿Eh?

BÁRBARA.— Perdona que te lo diga pero es que no falla. Todos los tíos que van de supermachos y además se ponen así conmigo, tan bordes, es que tienen algo reprimido. (*Mete una esponja en la palangana.*)

CACHORRO.— ¿Qué es eso? ¿Qué vas a hacer?

BÁRBARA.— Agua y jabón. Es para lavarte un poco la «pili».

CACHORRO.— ¿Estás loca?

BÁRBARA.— Yo no lo hago si el tío no se ducha antes... Y como tú estás impedido...

CACHORRO.— A mí ni se te ocurra acercarme eso.

BÁRBARA.— Si lo he cogido del baño. Está limpita. (*Acercándose a* CACHORRO.) No seas tonto, si da mucho gustito. ¿Puedes quitarte tú los pantalones o lo hago yo?

CACHORRO.— No te acerques...

BÁRBARA.— Uy, qué tímido... Si luego te enjuago bien y te seco.

CACHORRO.— (*Mirando la puerta.*) Mira... mira a ver si está bien cerrada.

BÁRBARA.— (*Lo hace.*) Sí, está bien cerrada.

CACHORRO.— (*Bajando el tono de voz.*) Echa el cerrojo sin hacer ruido.

BÁRBARA.— ¿Para? Si tu amiguito se va.

CACHORRO.— Echa el cerrojo, vamos. Estaremos más... tranquilos.

BÁRBARA.— Muy bien. (*Gira el cerrojo.*) Ya está.
CACHORRO.— Dame la coca-cola.
BÁRBARA.— (*Se la da.*) ¿Qué te pasa? Estás temblando.
CACHORRO.— No, joder, no estoy temblando. No me pasa nada.
BÁRBARA.— Estás asustado. ¿Cuántos años tienes?
CACHORRO.— Diecisiete.
BÁRBARA.— Claro, si es que eres un crío...
CACHORRO.— No, mierda, no soy un crío. Estoy hasta los cojones de que todo el mundo me diga eso. ¡No tengo surcos en la cabeza pero no soy un crío!
BÁRBARA.— Oye, no te enfades, ¿eh?, que yo no tengo la culpa.
CACHORRO.— ¿Cómo que no? Si no hubiera tanto degenerado por el mundo todo sería de otra manera.
BÁRBARA.— Oye, rico, lo primero que yo no soy una degenerada, y lo segundo que a mí la violencia no me va. Ni sádica ni masoca. Yo vengo a hacer el amor, ¿sabes? Y lo demás me la trae floja, ¿te lavo la polla o no?
CACHORRO.— No. Me he duchado ya.
BÁRBARA.— ¿Duchado? ¿Y cómo te sujetas?
CACHORRO.— Me cuelgan de los sobacos. Me cuelgan, ¿comprendes?
BÁRBARA.— Ay, Dios mío, qué par de bestias...
CACHORRO.— ¿Qué has dicho?
BÁRBARA.— Nada, hijo, nada. Pues tú no tienes tanta cara de venao como tu amigo.
CACHORRO.— ¿Mi amigo? Mira a ver si está bien cerrada la puerta.
BÁRBARA.— Oye, que he echado el cerrojo. (*Seductora.*) Así que tranquilo. Ya estamos solitos tú y yo, Albert y Bárbara, Bárbara y Albert...
CACHORRO.— Corta el rollo, ¿vale?

BÁRBARA.— Pues no sé cómo lo vamos a hacer. Mejor en el sofá, ¿no?

CACHORRO.— No.

BÁRBARA.— Pues en la silla esa... Es que es muy estrecha. A ti se te empina, ¿no?

CACHORRO.— Sí.

BÁRBARA.— Pues como no me siente encima... Bueno, yo mucho culo no tengo. A ver... (*Se intenta sentar encima de* CACHORRO.)

CACHORRO.— Quita, guarro, no me toques.

BÁRBARA.— Ay, ¿entonces cómo lo hacemos?

CACHORRO.— (*Mira otra vez hacia la puerta y baja la voz.*) Escucha...

BÁRBARA.— Olvídate de ese. Ha ido al cajero.

CACHORRO.— Escucha, ven. Y habla bajo. Verás, esto ha sido una apuesta. Una apuesta entre amigos. Tienes que ayudarme.

BÁRBARA.— ¿Yo? Vale.

CACHORRO.— Me he jugado con... Adolfo...

BÁRBARA.— Ja, se llama Adolfo el maricón...

CACHORRO.— ¡Baja el tono!

BÁRBARA.— Vale...

CACHORRO.— Me he jugado con él una pasta a que soy capaz de follarte.

BÁRBARA.— ¿Cuánto?

CACHORRO.— Qué más da.

BÁRBARA.— Es que os va a salir la tarde carísima. ¿Quién me paga a mí? Él, ¿no?

CACHORRO.— Calla, joder. Eres como un cotorro. Bueno, lo que te decía, que tienes que ayudarme. Yo no quiero follar contigo.

BÁRBARA.— ¿Por qué? ¿No soy deseable?

CACHORRO.— No es por eso. Es que a mí no me va esta marcha.

BÁRBARA.— Lo hago muy bien y tengo mucho rollo.

CACHORRO.— Da igual. No me va esta marcha.

BÁRBARA.— ¿Lo has probado alguna vez? Puede ser una gran experiencia...

CACHORRO.— Cállate, ¿quieres? No me va esto y se acabó.

BÁRBARA.— Pues a mí me vais a pagar igual.

CACHORRO.— Tienes que ayudarme y te juro que cobrarás.

BÁRBARA.— Vale, confío en ti.

CACHORRO.— Tienes que... Mi amigo va a escuchar detrás de la puerta.

BÁRBARA.— «Vuayer»... Maricón reprimido y «vuayer», qué asco.

CACHORRO.— ¡Calla, coño!

BÁRBARA.— Vale. ¿Pero me juras que cobro?

CACHORRO.— Sí.

BÁRBARA.— ¿Qué tengo que hacer?

CACHORRO.— Hacer todo como si lo hiciéramos. Todos los ruidos. Pero sin tocarme.

BÁRBARA.— Buah, eso está chupao. Pero... La verdad, Albert, es que esto me duele.

CACHORRO.— ¿Te duele el qué?

BÁRBARA.— Pues es como un desprecio. Sí, eso. Nunca me habían hecho un desaire así.

CACHORRO.— Qué puta eres...

BÁRBARA.— No, no es eso. Es que una también tiene su dignidad, ¿no? Y no me gusta cobrar por no hacer nada.

CACHORRO.— Tienes que hacer que haces. Y hacerlo muy bien. (*Mira hacia la puerta.*) Es muy listo. Vamos a empezar.

BÁRBARA.— ¿No te vas ni a bajar los pantalones?

CACHORRO.— No, tía, no.

BÁRBARA.— Necesito estímulos para concentrarme y actuar con naturalidad.

CACHORRO.— Me desabrocho la bragueta y punto.

BÁRBARA.— ¿Te la saco?

CACHORRO.— No. Y sepárate. Ponte más lejos.

BÁRBARA.— ¿Me desnudo yo?

CACHORRO.— ¿Tienes tetas?

BÁRBARA.— De cine.

CACHORRO.— Entonces, quítate la parte de arriba. Lo otro ni se te ocurra.

BÁRBARA.— (*Quitándose la camisa.*) Ay, la verdad es que esta situación tiene su morbo. Es que... hasta me estoy poniendo cachonda.

CACHORRO.— Ni se te ocurra.

BÁRBARA.— Oye, que eso no se elige. Es como una alegría del cuerpo, un sentimiento. No tiene nada que ver con la razón. No me pasa a menudo...

CACHORRO.— Venga, corta el rollo y empieza.

BÁRBARA.— Oye, que a mí me gusta comunicarme con la palabra...

CACHORRO.— Gime. Vamos, gime.

BÁRBARA.— (*Comienza a soltar grititos y besos al aire. Bajando la voz.*) Pues eres tonto, porque nos lo podríamos estar pasando guay. Sí, me gustas. Eres cantidad de atractivo a pesar de lo de las piernas. Y yo sólo tengo veintidós años y estoy limpia. (CACHORRO *le hace un gesto de que continúe.* BÁRBARA *teatral.*) Ay, Ay... qué bien lo haces... No me hagas cosquillas... (*Bajando la voz de nuevo.*) Llevo los análisis en el bolso para los escrupulosos. (*Para de golpe.*) ¿Te los enseño?

CACHORRO.— ¡Sigue...!

BÁRBARA.— Pues haz tú también algo que pareces frígido. Así no se lo va a creer. (CACHORRO *comien-*

za a fingir sonidos.) Ah, qué cosa más virgen. (*Se ríe.*) Mira lo que hace... Suave, tío, respirando fuerte y nada más. (*Lo hace ella; él la intenta imitar.*) Si eres cariñoso me puedes susurrar cosas. A mí eso me encanta...

CACHORRO.— No me mires.

BÁRBARA.— (*Acercándosele.*) Déjame ayudarte. Eres, eres un buen chaval.

CACHORRO.— No, no lo soy. Quita.

BÁRBARA.— No te entiendo. ¿Por qué este rechazo?

CACHORRO.— ¡Gime!

BÁRBARA.— ¿Por qué ni una caricia?

CACHORRO.— Por que te odio. Odio todo lo sucio del mundo, lo feo, lo negro, lo extraño...

BÁRBARA.— (*Lloriqueando.*) ¿Qué dices? Yo, yo no soy sucia, ni mala... Yo hago esto porque tengo que vivir de algo. Pero a mí me gustaría más tener un novio formal... Y ser abogada o ministra... y tener un sueldo fijo.

CACHORRO.— ¡Cállate! Deja de lloriquear como una maricona... ¡Gime, folla!

BÁRBARA.— (*Se tira en el sofá.*) Qué asco de vida... (*Agarra un cojín y lo abraza fuerte. Lo acaricia.*) Hola, amor mío. ¡Dios, qué bien estar así contigo...! Te siento, te siento todo. (*Comienza a bajar el cojín hacia sus piernas.*) Tus pies en mis pies, qué rico... Tu ingle, tu liquidito, tu olor... Dime algo, háblame... Sí, yo también te quiero. ¿Qué? Yo también me hago agua dentro de ti. (*Está absolutamente real.*) Veintidós años esperándote... Me abres, me abres toda. (*Cada vez más jadeante.*) Podrías salir por mi boca... ¿Que te mueres? Sí, muérete dentro de mí que yo te resucito, entero, nuevo. (CACHORRO *que la ha estado mirando perplejo comienza a excitarse.*) Ay, mi hombre, mi macho. Me voy a comer tus lunares. Uno, dos, tres... Ahora tu lengua, tu saliva fresquita, tu leche... Dámela, échamela en la boca. Toda, como la lluvia, como la miel... (BÁRBARA *abre la boca, mientras parece tener un orgasmo. Se queda quieta de pronto, exhausta. Mira a* CACHORRO *y comienzan a saltársele las lagrimas. Sigue callada.*)

CACHORRO.— ¿Qué te pasa?

BÁRBARA.— (*Secándose las lágrimas.*) Nada.

CACHORRO.— Estás llorando.

BÁRBARA.— No.

CACHORRO.— ¿Por qué lloras?

BÁRBARA.— No sé, no lloro. Es que cuando me corro me salen lágrimas por los ojos.

CACHORRO.— ¿Tienes un condón? (BÁRBARA *asiente con la cabeza.*) Dámelo. (*Se lo da en silencio.* CACHORRO *se da la vuelta en la silla y se masturba con rapidez.* BÁRBARA *le mira desencantada mientras se va vistiendo.* CACHORRO *se cierra el pantalón y se gira hacia* BÁRBARA. *Le muestra el preservativo lleno.*) Aquí está, la prueba. Para mi... amigo.

BÁRBARA.— (*Triste.*) ¿Le aviso?

CACHORRO.— (*Reaccionando.*) No, espera. Espera. (*Piensa. Hace gestos de nerviosismo.*)

BÁRBARA.— ¿Qué pasa?

CACHORRO.— Calla. Vístete. Coge tus cosas.

BÁRBARA.— ¿Qué pasa? (CACHORRO *se levanta de la silla.* BÁRBARA *emite un grito.*) ¡Un milagro!

CACHORRO.— No digas chorradas y no grites. Tienes que largarte de aquí. Estás en peligro.

BÁRBARA.— ¿Peligro?

CACHORRO.— Mi amigo.

BÁRBARA.— (*Agarrando fuerte su bolso.*) Está... está majara, ¿verdad?

CACHORRO.— (*Asiente con la cabeza mecánicamente.*) No, no es eso. Es otra cosa. Espera.

BÁRBARA.— Me voy...

CACHORRO.— Espera. No te dejará salir así por las buenas. Seguro que ha echado la llave a la puerta de la calle. Os odia. Os odia como yo. Escúchame, le voy hacer entrar y voy a entretenerle con algo...

BÁRBARA.— ¿Cómo? ¿Con qué?

CACHORRO.— Tiene un machete... Os odia.

BÁRBARA.— ¡Dios mío...!

CACHORRO.— (*Por el preservativo.*) Voy a enseñarle la prueba. Tú disimula, haz como si no supieras nada. Juega... Dile que lo he hecho muy bien, que soy muy macho. Dile que has gozado conmigo y yo...

BÁRBARA.— ¿Me quiere pegar?

CACHORRO.— Peor. Te quiere... (*Hace un gesto de guillotinar con la mano. Mira hacia todos los lados sin saber qué hacer.*) Vamos a poner música alta. (*Mientras lo hace,* BÁRBARA *corre al teléfono y marca.*)

BÁRBARA.— ¿Policía? Vengan, por favor. Es urgente, corran... ¿Calle?

CACHORRO.— (*Al verla, corre hacia ella y le quita el teléfono.*) ¿Qué haces? ¿Estás loca? ¿Con quién hablabas?

BÁRBARA.— ¡Baja la música! ¡Baja esa música!

(SURCOS *golpea la puerta.*)

CACHORRO.— ¡Ya vamos...! ¡Espera! (*A* BÁRBARA.) Abre la puerta. (*Él corre a sentarse en la silla de ruedas.*) Vamos, abre.

BÁRBARA.— No. Me niego.

CACHORRO.— Vamos, si no abres va a ser mucho peor.

SURCOS.— (*A gritos desde fuera.*) ¡Ya está bien! ¡Abre la puerta, Albert! ¡Abre!

CACHORRO.— Vamos, tía. Abre y haz lo que te he dicho. No tiene que notar nada raro. Vamos...
BÁRBARA.— Me da miedo.

(SURCOS *sigue golpeando la puerta cada vez con más violencia.*)

CACHORRO.— ¡Ya voy! ¡Espera, tío! (*Agarra a* BÁRBARA.) Haz lo que te he dicho y que no sepa que te he avisado, ¿entiendes? ¡Abre ya, joder! (*Violento.*) No te lo digo más. ¡Abre!

(CACHORRO *vuelve a sentarse en la silla de ruedas.* BÁRBARA *abre la puerta. Entra* SURCOS *con sus ropas militares. Está enrojecido de ira y alcohol.*)

SURCOS.— ¿Qué coño pasa aquí? ¿Quién os ha mandado cerrar la puerta? (*Quita la música. En un silencio tenso mira a* CACHORRO *inquisitivo.*)
CACHORRO.— (*Disimulando.*) Ha ido todo bien. De puta madre, tío. Es una bestia. (*Le enseña el preservativo.*) Mira, me ha exprimido como a un limón.
SURCOS.— (*Con desprecio.*) Mariconazo...
CACHORRO.— Dile, dile tú cómo te lo he hecho.
SURCOS.— (*Cerrando la puerta y acercándose a* BÁRBARA.) Sí, Bárbara, dímelo.
BÁRBARA.— Sí, ha ido todo bien. Tu amigo se ha portado. Bueno, yo necesito ir al baño.
SURCOS.— (*Le arrebata el bolso y la coge por la muñeca.*) Si no fuera por lo que te sobra serías una estafa perfecta.
BÁRBARA.— Suéltame. Voy a lavarme...
SURCOS.— Quieta. Todavía no has acabado. Yo también tengo derecho a un poco de juerga, ¿no?

BÁRBARA.— Suéltame. Me haces daño.

SURCOS.— Ven aquí, Albert, yo te la sujeto. Vamos, quiero que empieces tú.

CACHORRO.— Espera un momento. Vamos a hablar...

SURCOS.— (*Cortándole.*) Ya está bien de rollos. Se acabó la función, Cachorro. Levántate ya de ahí y empieza. (BÁRBARA *intenta dar un rodillazo a* SURCOS.) ¿Qué has hecho, loquita? Me estás poniendo a cien.

CACHORRO.— Tranquilo, Surcos. Vamos a pensar...

SURCOS.— (*Interrumpiéndole.*) Es la hora de actuar, imbécil. No de pensar. Vamos, ayúdame, esta loquita tiene el nervio de un tigre.

BÁRBARA.— ¿Qué pasa? ¿Qué quieres de mí? (*Grita e intenta soltarse.*)

SURCOS.— Te voy a tener que tapar la boca. Cállate o te la rompo. (BÁRBARA *se calla.* SURCOS *mira a* CACHORRO *que se ha levantado de la silla y les mira paralizado.*) Te voy a ostiar, Cachorro. Estás hecho un mariquita mamón. Vamos, empieza ya.

CACHORRO.— Es que... es muy fuerte, tío. Acabo de estar con ella...

SURCOS.— ¿Se te han fundido los plomos, imbécil? «Ella» es un degenerado, un peligro social. Tenemos que darle una lección. ¡Vamos!

CACHORRO.— (*Mirando a* BÁRBARA *aterrorizado.*) Sí, cabrón. Te voy a brear. (*Se acerca pero no hace nada.*) Te voy a romper esa carita de muñeca falsa...

SURCOS.— Una palabra más y os destrozo a los dos. ¡Vamos, soldado!

CACHORRO.— (*Soltando un golpe en los riñones de* BÁRBARA.) ¡Maricón!

SURCOS.— ¡Al rostro, a la cara, estúpido! Le voy a soltar y va a ser peor.

CACHORRO.— (*Golpea el cuerpo de* BÁRBARA *como un boxeador cansado y aturdido, abrazándosele.*) ¡Te voy a matar... matar... matar...!

(BÁRBARA *grita, llora. Consigue morder la mano de* SURCOS.)

SURCOS.— (*Soltándola.*) ¡Me ha mordido...! Puto canalla. Ahora verás. Ni brea ni nada. (*Saca el machete.*) Te voy a castrar.
CACHORRO.— (*Enfrentándosele.*) ¿Qué vas a hacer?

(SURCOS *le tira al suelo de un puñetazo.*)

SURCOS.— (*A* BÁRBARA , *levantando el arma.*) Quítate la falda. (BÁRBARA *aterrada lo hace.*) Ahora bájate las bragas.
BÁRBARA.— ¿Qué me vas a hacer?
SURCOS.— ¡Bájatelas!

(BÁRBARA *lo hace. Es una mujer. Los dos hombres la miran fijamente, asombrados. Ella se cubre el pubis con las manos.*)

SURCOS.— ¿Dónde está?
BÁRBARA.— ¿Qué dices? ¿Dónde está el qué?
SURCOS.— ¿Te has operado?
CACHORRO.— Es una mujer, tío. (*Sonríe aliviado.*) Es una tía de verdad.
BÁRBARA.— ¿Qué decís? ¿Estáis majaras? Soy una chica, claro, una chica de toda la vida...
SURCOS.— (*A* CACHORRO.) ¡Dame el periódico! (CACHORRO *se lo acerca.* SURCOS *lee en alto.*) «Bárbara. Travesti...» ¿Qué pasa aquí? Nos has enga-

ñado. (*Mirando a* CACHORRO.) ¡Me habéis engañado!

BÁRBARA.— Es... no sé, será un error. Hay cientos de anuncios de esos. Se equivocan... Será otra Bárbara. Sí, es otra. (*Llorando.*) No me hagáis nada, por favor. No soy ningún travesti... ¡Os lo juro!

SURCOS.— (*Frustrado y furioso.*) Es igual, eres una zorra.

CACHORRO.— Nos hemos equivocado. Déjala irse. Ya nos hemos divertido, ¿no?

SURCOS.— Te has divertido tú, niñato. Yo estoy que ardo. Lo mío empieza ahora. (SURCOS *levanta el machete hacia* BÁRBARA. CACHORRO *le retiene la mano.*)

CACHORRO.— ¿Estás loco, tío? ¿Qué quieres hacer? Dame eso. (*Le quita el machete.*).

SURCOS.— Te mataré.

CACHORRO.— (*Con el machete en alto.*) Eres un canalla, Surcos. Una mala bestia.

SURCOS.— Me las vas a pagar. Te voy a hacer picadillo. Surcos siempre tiene una idea para acabar con los traidores.

CACHORRO.— No, tú no tienes ideas en la cabeza. Tienes piedras, machetes, tijeras, cuchillos, mierda.

SURCOS.— Y una causa. ¡El mundo me necesita!

CACHORRO.— ¿Una causa? Eso es otra puta mentira. A ti te da igual el mundo. Tú sólo quieres matarlo.

SURCOS.— (*Lanzándose a recuperar el machete.*) Estás acabado niñato, te encontraremos hasta en el infierno.

CACHORRO.— (*Forcejeando.*) Ahí estamos todos.

(BÁRBARA *ha cogido un espray de defensa de su bolso y se acerca a los chicos.*)

BÁRBARA.— (*Gaseando los ojos de* SURCOS.) Toma, nazi, llora.

(SURCOS *y* CACHORRO, *ciegos los dos por el tremendo efecto del gas, se separan en un grito de dolor.*)

(BÁRBARA *recoge sus cosas y sale corriendo del salón.*)

SURCOS.— ¡Dios mío, no veo! ¡No veo! ¡Agua! ¿Dónde hay agua?

CACHORRO.— ¡La palangana! ¿Dónde está?

(SURCOS *y* CACHORRO, *como animales heridos y a cuatro patas, buscan la palangana palpando el suelo. Jadeantes y ciegos llegan los dos hasta la palangana.* CACHORRO *intenta meter la cabeza pero* SURCOS, *poniéndole la mano en la cara, le tira hacia atrás.* CACHORRO, *furioso, se lanza por la espalda de* SURCOS *y le agarra del cuello.* SURCOS *intenta retirarle las manos pero* CACHORRO *aprieta con todas sus fuerzas.* SURCOS, *va perdiendo fuerza.* CACHORRO *continúa apretando fuera de sí.* SURCOS *abre los ojos que ya están en blanco. Al momento, se desvanece y cae.*
CACHORRO *le suelta y apresuradamente mete la cabeza en la palangana, se da agua en los ojos hasta que consigue abrirlos. Después se acerca a* SURCOS, *que permanece inmóvil.*)

CACHORRO.— ¡Surcos...! ¡Surcos...! ¿Qué haces? Vamos, muévete... ¡Surcos, ¿qué te pasa?! (*Asustado.*) ¡Reacciona, tío...! ¡¿Qué te pasa?! (*Aterrado le mueve.*) ¡Por favor, tío. Por favor...! (*Pone su oído en el corazón de* SURCOS. *Lívido, se va apartando de él.*) ¡Le he matado...! ¡Le he matado...! (*Rompe a llorar desesperada-*

mente. Coge el periódico y comienza a hacerlo cachitos que tira al aire. Está enajenado.) Le he matado. Le he matado. Le he matado...

(*Entra* BÁRBARA *que mira asustada.*)

CACHORRO.— Le he matado... Le he matado...
BÁRBARA.— Está cerrada la puerta de la casa. Las llaves. ¿Dónde están las llaves de la puerta?
CACHORRO.— Le he matado... (*Sigue rompiendo el periódico.*)
BÁRBARA.— He llamado a la policía. Vienen para acá. Las llaves, tío. Me van a trincar.
CACHORRO.— ¡Le he matado! ¡Está muerto!
BÁRBARA.— (*Mirando a* SURCOS *aterrorizada.*) ¿Qué? ¿Que te lo has cargado? (CACHORRO *asiente sin mirarla.*) ¿Del todo?
CACHORRO.— Sí.
BÁRBARA.— ¡Dios mío, tenemos que salir de aquí ahora mismo! ¡Nos van a trincar, Albert! ¡A los dos! Tenemos que encontrar las llaves. ¿Dónde están? (CACHORRO *no contesta.* BÁRBARA *le agita por los hombros.*) ¡Reacciona, reacciona... Estamos atrapados! Vamos, ¿dónde están las llaves de la casa?
CACHORRO.— (*Ido, señala a* SURCOS.) Ahí, en su bolsillo.

(BÁRBARA, *aterrorizada, se dirige hacia Surcos pero no se atreve a tocarle.*)

BÁRBARA.— No puedo, tío. Por favor, cógelas tú. Yo no puedo tocar a esa hiena.
CACHORRO.— Ya no hace nada. Está muerto.

BÁRBARA.— (*Vuelve a intentar acercarse.*) ¡No, no me fío! Me da terror. Por Dios, Albert, haz algo.

CACHORRO.— No sé qué me pasó. Sentí un calor... Un fuego en la cabeza, una fuerza brutal, un placer... Las manos... apretaban solas. Las manos locas, con hambre... Apretaban solas...

BÁRBARA.— No te enrolles, tío. La policía está a punto de llegar. ¡Vamos, busca las llaves en sus bolsillos!

CACHORRO.— No veía... Estaba ciego por dentro. Sentí un calor... (*Se toca la cabeza.*) Un calor aquí...

BÁRBARA.— (*Cortándole.*) Escucha, escúchame, estás perdido. Si no sales de aquí inmediatamente te van a agarrar y te van a caer la tira de años de talego. (*Golpeándole para que reaccione.*) Vamos, coge las llaves del muerto.

CACHORRO.— (*Mirando a* BÁRBARA *por primera vez.*) ¿Qué he hecho? ¿Qué he hecho, tía?

BÁRBARA.— (*Se arrodilla a su lado.*) Vamos, Albert, cielo...

CACHORRO.— ¡Me llamo Cachorro y soy peor que un animal salvaje! (*Se levanta y grita.*) ¡Me cago en la patria! ¡Me cago en las banderas! ¡Me cago en todas las putas grandes palabras del mundo! (*Derrotado.*) Me entrego.

BÁRBARA.— (*Acariciándole la cabeza.*) Pobrecito, tan joven... Pobrecito... Tranquilo, mi niño, tranquilo. Albert, nos van a encerrar. Si no nos vamos de aquí ahora mismo dormiremos esta noche en una celda apestosa. ¿Has dormido alguna vez en la cárcel?

CACHORRO.— No.

BÁRBARA.— Pues es horrible, cielo. Venga, coge las llaves y huyamos de aquí.

CACHORRO.— Dame un beso.

BÁRBARA.— ¿Cómo?

CACHORRO.— Por favor, dame un beso.

BÁRBARA.— Vale. Te doy un beso y tú me das las llaves, ¿de acuerdo?

CACHORRO.— Sí.

(BÁRBARA *besa a* CACHORRO *en los labios. En ese momento,* SURCOS *se mueve en una convulsión.*
BÁRBARA *y* CACHORRO *se tiran al suelo agazapados.*
SURCOS *emite un aullido largo, doloroso, abismal.*
Mientras, se va haciendo el oscuro.)

FIN

EL PASAMANOS

Ficha artística

El pasamanos se estrenó por la Compañía Nacional de Teatro de Costa Rica, en el Teatro de la Aduana, el 22 de octubre de 1999, con el siguiente reparto:

SEGUNDO: Mariano González
ADELA: Anabelle Garrido
MERCEDES: Grettel Cedeño
RICARDO: José Luis Solano

Dirección : Marielos Fonseca
Producción: Compañía Nacional de Teatro de Costa Rica

Personajes

SEGUNDO BUENO
ADELA, su mujer
MERCEDES CASTRO, periodista de televisión
RICARDO, operador de televisión

PRIMERA ESCENA

(*Al encenderse la luz vemos la vivienda de* SEGUNDO *y* ADELA. *Consiste en una sala con una pequeña cocina adosada. A pesar de la estrechez el espacio es acogedor y está cuidadosamente arreglado.*
Al fondo vemos una puerta que lleva al retrete. En la parte frontal otra puerta da a una vieja escalera que, empinada, conduce a la calle de un viejo barrio.
SEGUNDO BUENO, *un anciano corpulento de unos setenta años, está sentado en su sillón. Viste una oscura americana algo anticuada y camisa blanca. A su lado reposan un par de muletas.*
ADELA, *su mujer, va y viene inquieta, ultimando los detalles a la espera de la visita.*
Estamos a mediados de junio, atardecer. Un haz de luz primaveral entra por la pequeña y única ventana de la casa.)

ADELA.— (*Dando a* SEGUNDO *una corbata pequeña y raída.*) Toma, póntela, tienes que parecer lo que eres, un señor.

SEGUNDO.— Quita, no digas bobadas, Ada, esta corbata está apolillada.

ADELA.— Yo te haré el nudo. Me gusta tanto verte así: vestido, elegante...

SEGUNDO.— (*Dejando la corbata a un lado.*) Ponme los calcetines nuevos, los azul marino.

ADELA.— Es la de la boda. (*Sonríe.*) Cuando pusiste el negocio te compraste otra parecida, ¿te acuerdas? Un día viniste sin ella, la perdiste. (ADELA *continúa arreglando la sala.*)

SEGUNDO.— (*Subiendo la voz.*) Tráeme los calcetines nuevos.

ADELA.— (*Los busca.*) El día de la boda también hubo calcetines nuevos, y zapatos. Zapatos con suela de cuero. Me dijo mi hermana que daba gusto vernos arrodillados en el altar, con las suelas tan limpitas...

SEGUNDO.— Pónmelos.

ADELA.— Sí señor, y después la corbata de toda la vida. (*Se los va poniendo.*)

SEGUNDO.— (*Se queja.*) Ten cuidado, Ada, ¿no ves que tengo los pies hinchados?

ADELA.— ¿Vas a sacar las muletas?

SEGUNDO.— ¿Sacar a dónde?

ADELA.— ¿Eh?

SEGUNDO.— (*Subiendo la voz.*) ¿Sacar a dónde?

ADELA.— Por televisión.

SEGUNDO.— Pues claro, mujer, a ver si no se van a creer que estoy inválido.

ADELA.— ¿Eh?

SEGUNDO.— Que sí.

ADELA.— Entonces, dámelas, las voy a limpiar.

SEGUNDO.— (*Mirándolas.*) Están limpias.

ADELA.— Trae.

SEGUNDO.— ¡Si están requetelimpias, Ada!

ADELA.— No quiero que piense nadie que somos unos guarros.

SEGUNDO.— Pero mujer...

ADELA.— (*Pasando un trapo a las muletas que están en las manos de* SEGUNDO.) La televisión lo coge todo, hasta lo que no debe. A veces salen algunos que hasta parece que les huele mal el aliento.

SEGUNDO.— (*Que se retoca el pelo en un espejito.*) Tráeme la colonia. (*Levantando la voz.*) La colonia.

ADELA.— (*Mostrándole el frasco.*) ¿Te la echo?

SEGUNDO.— Sí. (ADELA *comienza a rociarle con colonia desde los pies.*) ¿Qué haces?

ADELA.— Ponerte presentable. La televisión lo nota todo. Segundo, te huelen los pies.

SEGUNDO.— Para, para quieta, Ada. Los pies me huelen a muerto. A muerto, ¿entiendes? No a queso, no a vivo. Cada día tengo peor la circulación. Este encierro, esta condena, me está quitando la vida. Primero los pies, las piernas rígidas, mis partes, todo muerto. Todo se me está atrofiando por culpa de esos asesinos...

ADELA.— No te sulfures, Segun. Eso es a la tele a la que se lo tienes que decir cuando venga. Toma, ponte la corbata que te hago el nudo.

SEGUNDO.— (*Tirándola.*) ¡Que no! ¿No ves que está vieja y descolorida?

ADELA.— (*Levantando la corbata.*) Estás nervioso... No me gusta a mí esto de la televisión... (*Mira la corbata.*) Apolillada no está... (*Mira el reloj.*) Deben estar a punto de llegar. Tienes que ir al retrete, no vaya a ser que luego te den ganas y...

SEGUNDO.— Dame el pleito, tengo que ojearlo. (ADELA *no le oye.*) ¡Dame la carpeta, Ada! Todo, los códigos también: el civil, el penal... Ponlo todo aquí, a mi lado. Acerca la mesa. (ADELA *lo hace.*)

ADELA.— ¿Quieres orinar?

SEGUNDO.— (*Mirando el gran tocho de papeles y libros.*) Esto lo tiene que saber España entera. Todo, lo voy a explicar todo. Voy a conseguir que se haga justicia de una puñetera vez.

ADELA.— Tienes que orinar.

SEGUNDO.— Se le va a caer la cara de vergüenza a esa... inhumana. Todo el país sabrá que Antonia López García es una asesina de inválidos.

ADELA.— Toma.

SEGUNDO.— ¿Qué me das?

ADELA.— El anillo.

SEGUNDO.— ¿Para qué?

ADELA.— Póntelo, Segun, es de oro, es el de la boda. La televisión lo coge todo, ¿qué van a pensar si te ven sin el anillo de matrimonio?

SEGUNDO.— Ya sabes que no me cabe, me corta la circulación...

ADELA.— Por un rato no pasa nada. Luego te lo saco con jabón.

SEGUNDO.— Tengo el dedo muerto, hinchado...

ADELA.— Trae, yo te lo meto.

SEGUNDO.— (*Levantando la voz.*) ¿Y si luego no sale?

ADELA.— Ponemos aceite. Te froto con aceite y sale a la primera.

(SEGUNDO *estira con dificultad el dedo anular.* ADELA *le introduce el anillo. Le mira complacida.*)

ADELA.— Ahora sólo te falta la corbata.

SEGUNDO.—(*Mirándose la mano. Nostálgico.*) Cuántas manzanas y cerezas y uvas y peras... han cogido estas manos. Me gustaba ver la fruta, tocarla... Después, al tacto, sabía dónde estaba la flor y el gusano. Sólo pensaba en las mujeres, que salieran contentas de allí, que volvieran. «Frutería Segundo Bueno. Todo bueno y de primera.» (*Bajando la voz.*) Y cómo se reían ellas... Cuánta hembra hermosa me ha abierto a mí su cesta.

ADELA.— (*Que parecía no estar escuchando.*) Sí, faldero has sido siempre con ganas. Ellas te acercaban la bolsa y tú, mientras echabas la fruta, las mirabas el canalillo del pecho...

SEGUNDO.— Ada...

ADELA.— Te veía yo mirar con disimulo.

SEGUNDO.— ¿Te has puesto el «sonatón»?

ADELA.— ¿Eh?

SEGUNDO.— (*Que se percata de que no.*) Oyes lo que te da la gana, Ada. Cuando quieres bien que se te afina el oído, ¿eh? Un poco de lo tuyo es... de cerebro, bastante es de cerebro, ya te lo he dicho.

ADELA.— Pero yo tranquila porque, ya lo dice el refrán, perro ladrador poco mordedor. (*Le mira y le sonríe.*) Sé que siempre me fuiste fiel. (*Se arregla el pelo.*)

SEGUNDO.— A un hada no se le puede engañar. Lo adivina todo.

ADELA.— ¿Estoy bien? ¿Estoy presentable?

SEGUNDO.— Ponte el aparato. (*Le hace un gesto de tocarse la oreja.*)

ADELA.— ¿Te traigo la bacinilla o vas al retrete?

SEGUNDO.— (*Subiendo el tono.*) Ponte el aparato, Ada.

ADELA.— (*Dudando.*) Yo... yo prefiero no hablar.

SEGUNDO.— De todas formas póntelo. Quiero que oigas bien.

ADELA.— Si oigo igual. Oigo igual de mal. Ese aparato es un tongo.

SEGUNDO.— Oyes igual porque no le cambias las pilas. Dame el «sonatón». ¡Dámelo! ¡Y las pilas! (ADELA *se lo da con desgana.* SEGUNDO *lo manipula.*) Qué manía con no ponértelo...

ADELA.— Se me va a ver.

SEGUNDO.— ¿Eh?

ADELA.— La televisión lo coge todo. No me apetece que me vean en mi pueblo con este chisme en la oreja.

SEGUNDO.— Sigues siendo una coqueta.

ADELA.— ¿Qué?

SEGUNDO.— ¡Presumida!

ADELA.— No me gusta ese aparato. No funciona.

SEGUNDO.— (*Dándoselo.*) Póntelo. Que te saquen y se vea que yo estoy inválido y tú sorda. Que estamos totalmente desprotegidos, indefensos... ¡Y dame la nómina de la pensión, los papeles de la invalidez, la carpeta con los gastos médicos...! (*Se va calentando.*) Este país es una mierda, una mierda con los pobres. Me río yo de esos políticos de pacotilla. Unos y otros, todos iguales, a medrar, a chupar de la teta del poder.

ADELA.— No te metas con ellos en la televisión. No se te ocurra, Segundo.

SEGUNDO.— ¿Con quién?

ADELA.— Con los políticos, con los ministros y eso... Son muy rencorosos, controlan todo... Tú céntrate en el pasamanos. Nada más que en el pasamanos, ¿me oyes?

SEGUNDO.— Y en la justicia. En la trampa de la ley. Voy a denunciar esta infamia que se está...

ADELA.— (*Interrumpiéndole.*) Vete a orinar. (*Se acerca a él y le ayuda a levantarse.* SEGUNDO, *apoyado en sus muletas, se dirige muy lentamente hacia el pequeño retrete.* ADELA *le abre la puerta.*) ¿Te ayudo?

SEGUNDO.— Ya puedo yo, gracias. Cierra la puerta.

(*Por la escalera vemos subir a* MERCEDES. *Es una mujer de unos treinta años, rubia de peluquería y algo amanerada. Detrás, un hombre joven y desmañado con una cámara al hombro.*)

MERCEDES.— Realmente esto está fatal. (*Al muchacho.*) Ricardo, coge unas cuantas tomas de la entrada y de la escalera. Yo voy a entrar. Te aviso enseguida.

RICARDO.— Tú tranquila, me echo un cigarrito mientras.

(*Veremos que* RICARDO, *después de las tomas, se lía un cigarro de hachis y se sienta a fumárselo en la escalera.*)

MERCEDES.— (*Llama a la puerta.* ADELA *abre.*) Buenas tardes, soy Mercedes Castro, del programa «Cosas de la vida». (ADELA *la mira de arriba a abajo. Asiente.*) ¿Es ésta la casa de Segundo Bueno?

ADELA.— Sí, pase. Segundo está en el retrete. Yo soy...

MERCEDES.— Usted será Adela, su mujer, ¿no?

ADELA.— Sí, Adela del Castillo. Segundo siempre me ha llamado Ada, Ada de... (*Le hace un gesto con la mano de varita mágica.*) hada, ¿comprende? Dice que en vez de andar vuelo. Como soy así, pequeñita... Pero, siéntese. ¿Y la televisión? ¿El aparato para...?

MERCEDES.— Sí, el cámara enseguida viene. Primero quiero preparar con ustedes la entrevista. Necesito que me cuenten algunas cosas, que me confirmen datos... (*Abre su carpeta.*) ¿Es cierto que su marido lleva nueve años sin salir de aquí?

ADELA.— Así es, señorita. ¿Quiere un café?

MERCEDES.— No, muchas gracias, acabo de tomar uno. ¿Y cómo empezó este suplicio? Cuénteme.

ADELA.— Espere. (ADELA *golpea con suavidad la puerta del retrete.*) ¡Segundo, ya está aquí la señorita Mercedes! ¿Necesitas ayuda?

SEGUNDO.— (*Desde dentro.*) Ya voy. Enseguida salgo.

ADELA.— (*A* MERCEDES.) Tarda mucho en hacer sus necesidades. Pero no le gusta que le ayude. Él es muy hombre, ¿comprende?

MERCEDES.— Sí, claro.

ADELA.— Con el pijama es más fácil... Hoy se ha vestido, claro, aunque no se ha querido poner la corbata. (*Bajando el tono de voz.*) Oiga, señorita, mi marido está delicado del corazón, ¿sabe? Yo no quería que hiciera esto de la televisión pero es tan cabezota...

MERCEDES.— No se preocupe, Adela, nosotros sólo queremos ayudarles. Nos impresionó mucho su caso y... bueno, nos gustaría ayudarles a resolver esta dramática situación. Porque, imagino, que se sentirán ustedes muy mal, ¿no?

ADELA.—(*Que estaba mirando hacia la puerta del retrete.*) ¿Cómo? (*Se toca la oreja.*) Esto funciona cuando le da la gana.

MERCEDES.— (*Subiendo el tono.*) Le decía que me imagino que se sentirán ustedes muy mal con esta dramática situación, ¿no?

ADELA.— Bueno, no crea. Nos hemos acostumbrado y vamos tirando. Segundo estudia mucho. (*Señala los libros.*) Sí, ha aprendido mucho de leyes. Él, de joven, quería ser abogado, ¿sabe usted? Era como su sueño. Pero claro, era tan difícil estudiar entonces sin tener... (*Le hace un gesto de «dinero» con los dedos.*) Ahora con el asunto del pleito...

(*Se abre la puerta del retrete.* SEGUNDO *aparece caminando muy lentamente con sus muletas.* MERCEDES *se levanta.*)

SEGUNDO.— Buenas tardes, señorita Mercedes. Le ruego me disculpe...

MERCEDES.— Tranquilo, Segundo, no tenemos prisa. ¿Cómo está usted?

SEGUNDO.— (*Le extiende la mano.*) Mucho gusto. Pero, siéntese...

MERCEDES.— ¿Cómo se encuentra? (*En tono compungido.*) Imagino que esta terrible situación le tendrá desolado.

SEGUNDO.— (*Sentándose, ayudado por* ADELA.) Comprenderá usted... Este encierro... Viendo la vida por esa ventana. Esto es como si me hubiera caído una condena de cadena perpetua sin delito, señorita. Mi único delito es ser cojo y pobre.

MERCEDES.— Estoy aquí para ayudarle, Segundo. Mi programa tiene una gran audiencia y, aunque no se solicitan donativos, la gente suele llamar, y si la cantidad...

SEGUNDO.— (*La interrumpe enfadado.*) No quiero limosnas, señorita. Quiero justicia.

MERCEDES.— Sí, claro, por supuesto... Pero lo importante, Segundo, es resolver su problema, que pueda usted salir de nuevo a la calle...

SEGUNDO.— Pero resolverlo por la razón. No por la compasión. Eso nunca.

MERCEDES.— (*Abriendo su carpeta.*) Claro, claro... Si no le importa quería confirmar con usted unos datos que figuran en mi informe sobre su caso y enseguida comenzamos. Mi operador está haciendo unas tomas de la escalera. Vamos a ver... ¿Así que tiene usted setenta años?

SEGUNDO.— Sí, señorita, cumplidos en febrero.

MERCEDES.— Frutero de profesión. Pensión de invalidez a los cincuenta y cinco años. Sin hijos...

(SEGUNDO *va asintiendo.*) Nueve años sin poder salir a la calle por no tener barandilla donde agarrarse.

SEGUNDO.— Exactamente. Una vez lo intenté agarrado a mi señora. Imagínese, yo con ochenta y seis kilos y ella con cuarenta y dos. Me caí, claro, sólo faltaban cinco escalones. Y casi la mato a ella... (*La mira.*) Porque es como un hada que si no...

ADELA.— Pero cuando me lo quitaron de encima estuve un buen rato sin poder respirar.

MERCEDES.— ¡Qué horror...! Eso se lo tienen que contar ustedes a la cámara...

SEGUNDO.— ¡Y todo por doscientas mil cochinas pesetas! ¿Qué le parece?

MERCEDES.— Tremendo. Y sobre todo triste y doloroso, muy doloroso...

SEGUNDO.— Después de esa caída, la pierna izquierda, que todavía la doblaba un poco, se me quedó rígida como palo de escoba. (*Le enseña la mano.*) Y mire, el dedo anular me lo rompí. Desde entonces lo tengo hinchado y torpe.

ADELA.— Hoy se ha puesto el anillo para la televisión pero apenas le entra.

MERCEDES.— Es tremendo, ¿no?

ADELA.— Bueno, estamos acostumbrados...

SEGUNDO.— (*Casi a la vez que su mujer.*) ¡Es indignante! ¡Y la culpa de todo es de Antonia López García, la casera de este inmueble, y del canalla de su sobrino! ¿Sabe lo que hicieron una vez? ¿Sabe?

MERCEDES.— Un momento, Segundo, voy a buscar al operador y comenzamos a filmar, ¿le parece?

SEGUNDO.— Que venga. Estoy dispuesto a denunciarlo todo. A no dejar títere con cabeza.

MERCEDES.— (*Se levanta y abre la puerta.*) ¡Ricardo! Ricardo, cuando quieras.

(*El muchacho apaga el cigarro y sube con sus aparatos.*)

RICARDO.— (*Entrando.*) Buenas tardes.
SEGUNDO.— Pase, joven, buenas tardes.
MERCEDES.— Prepáralo todo y empezamos.
RICARDO.— Donde está el abuelo, ¿no?
MERCEDES.— Sí, ahí los dos...

(RICARDO *ilumina y coloca a los viejos dos micrófonos inalámbricos.*)

RICARDO.— (*Poniéndole el micrófono a* SEGUNDO.) Esto es para que se le oiga bien, eh, abuelo. (*Le da unas palmaditas.*)
SEGUNDO.— Gracias, majo.
ADELA.— Señorita, ¿a que estaría muy bien que se pusiera la corbata? Segundo ha sido siempre un hombre elegante...
MERCEDES.— Sí, claro, como ustedes quieran.
SEGUNDO.— Adela, coño, que no me pongo la corbata. Y se acabó.
ADELA.— Pues apolillada no está.
SEGUNDO.— Pero ya no me gusta.
ADELA.— Bueno, eso es otra cosa.
MERCEDES.— (*A* ADELA.) Usted, siéntese aquí, al lado de su esposo.
ADELA.— (*Que se coloca como para una foto.*) ¿Así?
MERCEDES.— Eso es, muy bien. Es importante que expresen todo lo que sientan: emociones, indignación, pena, dolor... Y si necesitan llorar, lloren sin... reparo, lloren. Nuestro programa sólo desea mostrar la cruda realidad, sin tapujos. Siempre con la intención de ayudar, por supuesto. En fin, ¿comenzamos? ¿Preparado, Ricardo?

RICARDO.— Cuando quieras, jefa.

MERCEDES.— Segundo, ¿está usted preparado?

SEGUNDO.— (*De pronto.*) Pero, Adela, no les has ofrecido un café a estos señores...

MERCEDES.— Sí, lo ha hecho, pero hemos tomado uno antes de subir, gracias. Entonces, ¿preparado?

SEGUNDO.— Está bien. Preparado.

ADELA.— Un momento.

MERCEDES.— ¿Sí?

ADELA.— ¿Les importaría no sacarme de este lado? No me gustaría que se me viese el aparato, ¿saben?

SEGUNDO.— ¡Adela...! No la hagan caso.

ADELA.— Pues no me pongo, eh, Segundo.

RICARDO.— Tranquila, abuela, que no se lo saco.

ADELA.— (*Volviéndose a poner el pelo encima.*) Eso.

MERCEDES.— ¿Preparados? (*Se coloca frente a ellos fuera del espacio visual de la cámara. Desde ahí les habla.*) Cuéntenos, Segundo, mire a la cámara y cuente su desgraciada historia.

SEGUNDO.— Vivimos aquí, en esta casa desde hace treinta años. No he dejado de pagar ni un solo mes de renta en todo el tiempo. Nunca. La hemos arreglado y cuidado... como si fuera nuestra.

MERCEDES.— (*Le interrumpe.*) ¿Cuántos metros cuadrados tiene?

SEGUNDO.— Treinta metros tiene. Esto que ven y el retrete. Bueno, a mí me hubiera gustado comprarme una casa propia pero... no fue posible. Trabajé de empleado en una frutería hasta los cuarenta años. A esa edad empeñé hasta el esqueleto y puse mi propio negocio. (*Hace un gesto, orgulloso, con las manos.*) «Frutería Segundo Bueno. Todo bueno y de primera». (*Sonríe.*) Ése era mi eslogan. A los cinco meses de abrir el negocio pusieron enfrente un enorme supermercado. Se acabó el negocio.

MERCEDES.— Dígame, Segundo, cuente a la cámara, cuando empezó a padecer de las piernas, qué pasó con la barandilla de la escalera.

SEGUNDO.— En este piso nunca ha habido pasamanos, o al menos yo no lo he conocido. Pero, claro, con salud y menos años no importaba tanto... Hace quince años me empezaron a fallar las piernas...

MERCEDES.— ¿Qué le pasa en las piernas? ¿Cómo las tiene ahora?

SEGUNDO.— Rígidas e hinchadas. Casi muertas.

MERCEDES.— ¿Le duelen mucho?

SEGUNDO.— Sí, bastante. Pero lo peor es que no puedo bajar a la calle. (*Se va enfadando.*) No puedo bajar sin agarrarme, me es imposible. Así que desde la caída...

MERCEDES.— Cuéntenos su caída. (*Hace un gesto al cámara para que corte un mo*mento.) Segundo, va todo bien, pero yo le pediría que ponga más... como decirle... que evoque su sufrimiento y lo exprese, ¿me comprende?

SEGUNDO.— ¿Sufrimiento? Pues imagínese, imagínense lo que es vivir así; sin poder respirar aire fresco, sin ver jugar a los niños, sin poder sentarme en una plaza a tomar el sol, sin poder echar pan a las palomas... Bueno, aquí se lo pongo en la ventana y vienen a comerlo, sí, pero no es lo mismo. (*Mira a* ADELA *y se emociona.*) Y mi mujer siempre sola por la calle, sin marido, o peor aún, con una carga de ochenta kilos esperándole en casa. (ADELA *niega.*) Y también es muy peligroso para ella bajar y subir así, sin protección, con la bolsa de la compra... ¡Y todo por una falta de humanidad! ¡Todo porque la dueña de este inmueble, Antonia López García, quiere que nos vayamos de aquí!

MERCEDES.— ¿Se lo ha dicho a ustedes?

SEGUNDO.— Sí, indirectamente. Ella quiere que nos vayamos a una residencia para vender este piso y sacar unos millones. ¿Se imagina? Después de treinta años nos quiere mandar a pudrirnos a un asilo. Sí, ésa es la verdad. Ella quiere que nos marchemos de aquí. Y si no, que me muera. Matarme de angustia, eso es lo que pretende. (*Indignado.*) Pero no lo va a conseguir, porque yo voy a ganar el pleito. Mire lo que tengo aquí, papeles y papeles. Gano la demanda, ella recurre y vuelta a empezar. Así años... Se niega a gastarse las doscientas mil pesetas que cuesta el pasamanos y, claro, como nadie mueve un dedo por esa cantidad de dinero... (*Mira con fijeza a la cámara.*) Antonia López García, voy a ir a tu entierro. Sí, yo, Segundo Bueno Antón, voy a bajar esas escaleras agarrado a la barandilla que tú me vas a poner antes de morirte...

MERCEDES.— (*Le interrumpe, intentando cambiar de terreno.*) Segundo, díganos, ¿qué se siente ante una situación así? Háblenos con el corazón.

SEGUNDO.— Impotencia, señorita, impotencia. Hace dos años gané un juicio y le exigieron ponerme el pasamanos. ¿Sabe lo que hizo? Mandó al degenerado de su sobrino con una cuerda. Como lo oye, colocó una cuerdecilla, mal atada, de arriba a abajo de la escalera. Tres palos y una cuerda y se quedó tan ancha.

MERCEDES.— ¿Y usted qué hizo?

SEGUNDO.— Yo, le devolví la cuerda con un mensaje.

MERCEDES.— ¿Sí? ¿Cuál?

SEGUNDO.— Ahórcate con ella.

MERCEDES.— ¡Corta, Ricardo!

SEGUNDO.— ¿Qué pasa?

ADELA.— Que eso no te favorece, Segun, ¿no te das cuenta?

SEGUNDO.— Yo tengo que decir la verdad. Lo hice y lo confieso.

MERCEDES.— Bueno, no se preocupen. Después para el programa hacemos un montaje. Sí, elegimos lo más significativo y, por supuesto, todo aquello que pueda ayudar. Escuche, sería interesante que nos hablara un poco más desde el dolor, antes lo ha hecho muy bien. Por ejemplo, que nos hable de lo que hace durante un interminable día aquí encerrado. Sería muy... interesante también que mostrase a la cámara sus piernas enfermas.

SEGUNDO.— Eso ni hablar. Yo soy cojo y pobre pero tengo dignidad.

ADELA.— Verá, señorita, es que a mi marido no le gustan esas cosas.

SEGUNDO.— Yo lo que quiero es denunciar una situación de injusticia social. Demostrar que la ley está más corrompida que mis viejas piernas, que favorece siempre a los poderosos...

ADELA.— Eso no, Segundo, no empieces a hablar de política.

MERCEDES.— (*Seca.*) Pero usted lo que quiere es que le pongan el pasamanos, ¿no?

SEGUNDO.— Sí, señorita, que lo ponga quien lo tiene que poner.

MERCEDES.— (*Un poco harta.*) En fin, creo que con la introducción al caso, alguna parte de lo que hemos grabado, las imágenes de la escalera... No sé, creo que falta algo de emoción... El dolor es siempre lo que más conmueve a la audiencia pero veo que usted...

SEGUNDO.— Yo todavía soy un hombre, señorita.

ADELA.— Si quiere, yo soy más fácil de lágrima. Si cree que es imprescindible...

MERCEDES.— Bien, no es mala idea. Puede servirnos para redondear el reportaje. Vamos allá.

ADELA.— (*Al cámara, señalándose el «sonatón».*) ¿Se me ve?

RICARDO.— No, abuela, no se preocupe.

ADELA.— (*Concentrándose.*) Usted dirá.

MERCEDES.— (*Haciendo una seña a* RICARDO.) Dígame, Adela, cuéntenos cómo viven este infierno, cómo lo soportan.

ADELA.— (*Llorosa.*) Mal. Es terrible ver a mi marido encerrado durante tantos años. A él que siempre le ha gustado tanto la calle... Nadie sabe lo que estamos pasando... (*Se tapa la cara con las manos.*)

MERCEDES.— Muy bien, gracias, Adela. ¿Les importaría que tomásemos unas imágenes de alguna acción cotidiana? Podría ser... Segundo yendo al lavabo, mirando desolado por la ventana... Otra con Adela ayudándolo a arreglarse...

SEGUNDO.— Si no queda más remedio.

MERCEDES.— La verdad, sinceramente, creo que sería muy importante para llegar al corazón de los espectadores, y de la justicia, claro, que nos... que nos enseñara... con cuidado, con dignidad, el estado de sus piernas.

SEGUNDO.— No, señora, mis piernas están hinchadas y rígidas. Son muy desagradables de ver.

MERCEDES.— Segundo, piense en su objetivo, piense en el golpe que va a recibir... (*Mira su carpeta.*) Antonia López...

SEGUNDO.— Esa mujer ni siente ni padece.

MERCEDES.— Segundo, necesito su colaboración. Así, sentado de esa manera, nadie se hace una idea de la seriedad de su problema físico. Tenemos que impresionar a la opinión pública, ¿no se da cuenta? Usted, sólo tiene que levantarse un poco el pantalón... Por ejemplo, mientras Adela le ayuda a ponerse los zapatos. ¿Qué le parece?

SEGUNDO.— (*Le enseña otra vez los papeles.*) Mire, aquí están nueve años de mi vida. Mi abogado se sienta aquí, a mi lado, y entre los dos pensamos cómo...

MERCEDES.— (*Cortándole.*) Lo siento, Segundo, pero tenemos que terminar el trabajo.

SEGUNDO.— Pero no me ha dejado explicarle a fondo...

MERCEDES.— Usted no se preocupe. Mi equipo y yo al elaborar el reportaje para el programa explicaremos todo eso. Esos datos los tengo yo aquí en mi carpeta, ¿comprende? Bueno, ¿hacemos esas tomas? No tengo mucho tiempo.

ADELA.— Segundo, la señorita Mercedes se está enfadando.

SEGUNDO.— Con lo dulce que parece en televisión.

MERCEDES.— Necesito que colaboren conmigo. Esto lo hacemos por ustedes y yo sé lo que funciona en televisión, ¿no se dan cuenta? Con lo que tenemos y esas imágenes podemos conseguir un reportaje impactante. Confíen en mí.

(SEGUNDO *y* ADELA *se miran.* SEGUNDO *se encoge de hombros.* ADELA *se levanta y se arrodilla a los pies de Segundo.*)

MERCEDES.— Gracias. Un momento. Ricardo, retírales los micrófonos, ahora no hacen falta. (RICARDO *lo hace.*) Vamos a filmar.

ADELA.— (*Comienza a quitarle los zapatos a su marido.*) La televisión lo coge todo, ya te lo advertí.

SEGUNDO.— (*Disgustado.*) No me los subas mucho.

ADELA.— ¿Qué?
SEGUNDO.— El pantalón.
ADELA.— A mí me siguen gustando tus piernas, Segun. Me gustan porque las he conocido fuertes y sanas...
SEGUNDO.— Y ahora muertas.
ADELA.— Muertas no, que todavía te sostienen bien. Ahora sordas como mis orejas. (*Sonríe. La cámara está encima de las piernas de* SEGUNDO.) Enseña el anillo. Anda, Segun, enséñalo por televisión. No has dicho que llevamos cincuenta y dos años casados...
SEGUNDO.— (*Dulcemente, pone la mano encima de la cabeza de su mujer para mostrar el anillo a la cámara.*) Ay, Ada, Ada....

(*Se va haciendo el oscuro.*)

SEGUNDA ESCENA

(*Tres días más tarde. Al encenderse la luz vemos la escalera que luce una barandilla recién instalada. Dentro de la casa,* ADELA *prepara el desayuno.* SEGUNDO *está tumbado sobre la cama.*)

ADELA.— Vamos, Segundo, el café está listo.
SEGUNDO.— Tráemelo aquí.
ADELA.— Ni hablar. Ahora mismo vas a levantarte y vienes a desayunar conmigo en la mesa, como siempre.

SEGUNDO.— No tengo ganas.

ADELA.— Tienes que dejar de darle vueltas a la cabeza y levantar el ánimo. Olvídalo ya. Olvídalo.

SEGUNDO.— ¿Cómo puedo olvidarlo? Me han engañado, nos han engañado, Ada. No han sacado la denuncia, han dicho cosas que yo no dije, han ido a casa de la casera y esa... inhumana ha dicho que soy un impostor, que miento, que no estoy tan enfermo como digo, que sólo vivo para ganar el pleito, para luchar contra ella...

ADELA.— No te sulfures, Segundo, tranquilízate...

SEGUNDO.— ¿Por qué no nos dijo la periodista que iban a hablar con ella? Le hubiera advertido, le hubiera explicado con pelos y señales cómo es esa mujer.

ADELA.— Déjalo ya, no merece la pena que te tortures más.

SEGUNDO.— Y esas imágenes horribles de mis piernas... Los hematomas en primer plano...

ADELA.— Bueno, ya está, no puedes seguir dándole vueltas y vueltas. Lo hicimos y hecho está. Ahora ya pasó, lo olvidamos y volvemos a nuestra vida normal, tranquila, sin sobresaltos.

SEGUNDO.— La señorita Mercedes no me dejó expresarme, no me dejó contarle lo de la última demanda...

ADELA.— Ellos lo hacen a su manera. Te lo dije, te advertí que la televisión tiene trucos. Pero tú eres tan confiado...

SEGUNDO.— Parecía tan dulce esa chica en televisión.

ADELA.— No te preocupes más, tampoco tiene tanta importancia. Mejor dicho, no tiene ninguna importancia.

SEGUNDO.— ¿Tú crees?

ADELA.— Qué importancia va a tener... Dijera lo que dijera, lo que ha quedado claro es que esa mujer ni es buena ni tiene fundamento.

SEGUNDO.— ¿Tú crees?

ADELA.— Por Dios, Segundo, si casi es mejor que la sacaran. Se le veía bien la cara de bruja, con la verruga de vieja descuidada. Y los ojos esos llenos de vergüenza.

SEGUNDO.— Sí, tiene una mirada sin alma.

ADELA.— Y tú ahora tienes que pensar en continuar con el pleito. Ésa es tu fuerza, Segun, tus libros, tus papeles... (*Le mira con admiración.*) Si ya sabes tanto como un abogado.

SEGUNDO.— (*Sacando fuerza.*) Tienes razón. Tengo que proseguir por la vía legal. Dame las muletas, voy a levantarme.

ADELA.— Así me gusta oírte hablar. (*Se las da. Le ayuda a incorporarse.*)

SEGUNDO.— ¿Has visto, Ada, cómo eran las pilas?

ADELA.— ¿El qué?

SEGUNDO.— No ves lo bien que oyes ahora con el «sonatón».

ADELA.— Ah, el aparato. Bueno, depende de cómo esté el día.

SEGUNDO.— No digas bobadas.

ADELA.— Vamos, tómate el café. (SEGUNDO, *ayudado por* ADELA, *se sienta en la mesa.*)

SEGUNDO.— Y no se te vio en la tele.

ADELA.— ¿El qué?

SEGUNDO.— El «sonatón», no se te vio.

ADELA.— Vamos a dejar ya el asunto, Segun. Llevas tres días obsesionado.

SEGUNDO.— Eso no te lo había dicho.

ADELA.— Ni falta que hacía.

SEGUNDO.— Bueno, mujer, como estabas preocupada con que... Pero no, saliste bien guapa.

ADELA.— ¿Guapa? Qué dices. Ahí tan llorosa... Yo pensé que me darían un poco de maquillaje, unos polvos... A la señorita Mercedes bien que la pintan la cara para el programa. Cómo cambia, ¿verdad? Porque el día que vino estaba bien fea.

SEGUNDO.— Y no me dejó explicarle...

ADELA.— Chist, chitón, se acabó. Hale, acaba de desayunar que tienes que ponerte a trabajar. Yo me voy a ir al mercado. Y voy a comprar un par de buenos filetes para celebrar que todo vuelve a ser como antes. ¡Qué felicidad...! ¿Te acerco los libros, la carpeta?

SEGUNDO.— (*Con decisión.*) Sí, dame todos los papeles, voy a volver a estudiar el recurso.

ADELA.— (*Contenta limpia la mesa y le acerca los papeles.*) ¿Necesitas algo de la farmacia?

SEGUNDO.— Sí, se me está acabando lo del corazón.

ADELA.— Entonces, me acercaré al médico de cabecera a por la receta. (*Coge una bolsa y su chaqueta.*) ¿Quieres algo más? (SEGUNDO *niega.*) Vuelvo enseguida.

(ADELA *abre la puerta de su casa y ve la barandilla puesta en la escalera. Emite un grito ahogado.*)

ADELA.— ¡Dios mío! ¡Dios mío!

SEGUNDO.— (*Desde dentro.*) ¿Qué pasa? ¿Qué pasa, Ada?

ADELA.— (*Entra demudada.*) Segundo, han puesto... han puesto...

SEGUNDO.— Han puesto, ¿el qué?

ADELA.— El pasamanos.

SEGUNDO.— ¿Cómo? ¿Qué dices?

ADELA.— (*Asintiendo.*) El pasamanos. Lo han puesto.

SEGUNDO.— Pero, ¿cómo? ¿Cuándo? ¿Quién lo ha puesto?

ADELA.— Y yo qué sé. Ni siquiera he oído... ¿Y tú?

SEGUNDO.— (*Piensa.*) Quizás anoche... Sí, anoche mientras escuchaba la radio oí algún ruido, pocos. Pensé que eran las ratas... Vamos, ayúdame, Ada. Ayúdame, quiero verlo.

(*Temblorosos, se acercan los dos al rellano de la escalera.*)

ADELA.— Mira.

SEGUNDO.—(*Emite una profunda exclamación.*) Sí, es verdad.

ADELA.— (*Lo toca lentamente, como para cerciorarse de que no es un sueño.*) Está... está sujeto. No se mueve.

SEGUNDO.— ¿Seguro?

ADELA.— (*Observando el mecanismo.*) Lo han atornillado a la madera.

SEGUNDO.— Parece de pino. Madera de pino.

ADELA.— (*Pasando su mano.*) Barnizada.

SEGUNDO.— Muévelo fuerte. Asegúrate de que está bien clavado. Podría ser una trampa.

ADELA.— (*Intenta mover la barandilla.*) Sí, está bien clavado. Mira, no hay quien lo mueva.

SEGUNDO.— (*De pronto.*) ¡Se ha rendido! ¡Por fin...! ¡Antonia López García se ha rendido! Lo hemos conseguido, Ada, esa bruja se ha visto en televisión y se le ha caído la cara de vergüenza. Tenías tú razón, seguramente ha recibido presiones. Le habrá dicho el abogado que estaba perdida...

ADELA.— Pero, ¿por qué lo han hecho así? ¿Por qué no nos han avisado?

SEGUNDO.— (*Se queda pensativo.*) No sé. Ven, vamos adentro, tenemos que pensar.

(*Entran dentro de la casa y cierran la puerta. Por la escalera, vemos aparecer a* MERCEDES CASTRO, *que llega con el operador. Este comienza a iluminar la escalera.* MERCEDES *sube despacio, y llama a la puerta. Baja la escalera y le dice al técnico*:)

MERCEDES.— ¡Acción!

ADELA.— ¿Quién será?

SEGUNDO.— Pregunta.

ADELA.— ¿Quién es? ¿Quién es? (*A* SEGUNDO.) No contesta nadie.

SEGUNDO.— No abras.

ADELA.— (*Asustada.*) ¿Crees que...?

SEGUNDO.— No me fío de ella. Puede que... esté furiosa y quiera hacernos daño. No abras.

ADELA.— ¿Qué hacemos?

SEGUNDO.— Mira por la mirilla.

ADELA.— (*Lo hace. Pega un respingo.*) Hay luz. Mucha luz. Una luz horrible.

SEGUNDO.— (*Gritando atemorizado.*) ¿Quién es? ¿Qué quieren de nosotros?

(MERCEDES CASTRO, *al ver que no abren la puerta, sube sigilosa y la golpea. Baja otra vez hasta la cámara.*)

MERCEDES.— (*Al operador.*) Atención. Tienes que coger el momento. Sus caras, su gesto cuando vean la barandilla.

RICARDO.— Ya lo sé jefa.

MERCEDES.— Pues apaga el cigarro, hombre.

RICARDO.— (*Tirándolo con desgana.*) Ya está, mujer.

SEGUNDO.— Mira otra vez.

ADELA.— No hay nadie, Segundo. No hay nadie.

SEGUNDO.— (*Aterrorizado.*) Es una venganza. Quiere asustarnos...

ADELA.— Es mejor abrir...

SEGUNDO.— Ni se te ocurra. Puede que haya enviado a alguien para... Coge un cuchillo...

ADELA.— ¿Para qué?

SEGUNDO.— Están forzando la puerta...

ADELA.— No oigo nada. ¡Yo no oigo nada! (*Aterrorizada se quita el aparato de la oreja y lo tira al suelo.*)

MERCEDES.— (*Al operador.*) Deben estar dormidos todavía. Voy a insistir. Tú estáte preparado. (*Sube y vuelve a llamar.*)

SEGUNDO.— (*A voz en grito.*) ¡Voy a llamar ahora mismo a la policía! ¿Me oye? ¿Me oye quien sea? ¡Voy a llamar a la policía!

MERCEDES.— (*Que lo oye, se acerca a la puerta sorprendida.*) Segundo, soy yo. Tranquilícese, somos de televisión.

SEGUNDO.— ¿Quién es usted?

MERCEDES.— Mercedes Castro. Abra, por favor, y tranquilícese, le tenemos preparada una sorpresa.

SEGUNDO.— (*Mirando a* ADELA *perplejo.*) Es la señorita Mercedes.

ADELA.— ¿Qué?

SEGUNDO.— ¡Es la señorita Mercedes, de televisión!

ADELA.— ¿Qué quiere?

MERCEDES.— (*Desde fuera.*) ¡Abra, Segundo, y salga al rellano! (MERCEDES *se retira para no estorbar a la cámara.*)

ADELA.— ¿Qué quiere?

SEGUNDO.— Dice que tiene una sorpresa. (*La pareja se mira con complicidad.*) ¡El pasamanos! Han sido ellos quienes lo han puesto. (SEGUNDO *abre la puerta y lentamente pero con decisión se dirige hasta el borde de la escalera.*)

MERCEDES.— (*Desde abajo, pletórica.*) Segundo, el programa «Cosas de la vida» tiene la enorme satisfacción de ver cómo su deseo se ha hecho realidad. Y queremos estar con usted, en este momento crucial de su vida, en el que por fin, y después de nueve años de cautiverio, podrá volver a bajar a la calle...

SEGUNDO.— (*Interrumpiéndola bruscamente.*) ¿Quién ha puesto el pasamanos?

MERCEDES.— Queríamos darle una sorpresa y estar con usted...

SEGUNDO.— ¿Quién lo ha puesto?

MERCEDES.— Nuestros técnicos. No le avisamos porque queríamos ver, vivir con usted este momento...

SEGUNDO.— ¿Quién lo ha puesto?

MERCEDES.— (*Poniéndose nerviosa.*) Anoche. Creo que fue muy sencillo. Era sólo cuestión de atornillar en la madera. Fíjese, Segundo, qué fácil era la solución a un problema...

SEGUNDO.— (*Contundente.*) ¿Quién lo pagó?

MERCEDES.— Verá, después del programa, comenzaron a llamar los telespectadores ofreciendo sus donativos y...

(SEGUNDO *levanta la muleta y comienza a golpear la barandilla con furia.*)

SEGUNDO.— ¡Fuera! ¡Fuera! ¡Quítenme esto de aquí! ¡Quítenme esta infamia de aquí! ¡Yo pedía justicia! ¡Justicia!

MERCEDES.— (*Al operador.*) ¡Corta! ¡Corta!

ADELA.— (*Intenta detener a* SEGUNDO.) Segun, por favor, tranquilízate... A ver si te vas a marear.

SEGUNDO.— ¡Justicia, no compasión! ¡No compasión! ¡No compasión! (*Se queda quieto, jadeante.*)

ADELA.— Tranquilízate, tranquilízate, por favor. (*Le acaricia.*) Ya está, ya está...

(MERCEDES, *impresionada, sube lentamente las escaleras y se acerca a* SEGUNDO.)

MERCEDES.— Lo siento, pensé que usted necesitaba una barandilla para la escalera. Creí que lo importante era resolver su problema.

ADELA.— Vamos adentro, voy a hacer una tila.

MERCEDES.— (*Al operador, mostrándole el teléfono móvil.*) Yo te aviso, cuando te necesite.

RICARDO.— (*Hace un gesto.*) Okey. Estaré en el «bareto» de abajo tomando una caña. (*Comienza a recoger los trastos.*)

(*Entran los tres dentro de la casa.* ADELA *ayuda a* SEGUNDO *a sentarse en el sillón.*)

MERCEDES.— ¿Cómo se encuentra?

SEGUNDO.— Mal, ¿cómo quiere que esté? Usted me ha engañado.

MERCEDES.— No diga eso, no es verdad. Yo sólo he intentado ayudarle.

SEGUNDO.— ¿Ayudarme? ¿Cómo?

MERCEDES.— El reportaje sobre su caso fue un éxito, una auténtica conmoción social. Los espectadores, ya sabe que nuestro programa cuenta con una gran audiencia, llamaron a miles para ofrecer ayuda. Todos querían colaborar para resolver su trágica situación.

SEGUNDO.— Usted sacó a la casera en el programa.

MERCEDES.— Tenemos que hacerlo así, hay que dar a conocer la opinión de las dos partes del conflicto. No seríamos justos si no lo hiciéramos.

SEGUNDO.— Pero usted no me lo dijo. Yo le habría explicado...

MERCEDES.— Yo sé cómo es esa mujer. Una mujer mezquina e ignorante.

SEGUNDO.— No, de ignorante nada. Esa mujer sabe muy bien lo que hace.

MERCEDES.— El resultado de su intervención en el programa fue muy positivo para usted. Todo el mundo comentó lo indignante que era la postura de su casera, su falta de razón.

SEGUNDO.— Quiero que retiren ese pasamanos inmediatamente.

MERCEDES.— Pero, hombre, cómo dice eso.

SEGUNDO.— Ese pasamanos o lo paga Antonia López García o... (*Le muestra las manos.*) estas manos no lo tocan. Le juro, señorita, que no lo tocan.

ADELA.— Tómate la tila, Segun. ¿Quiere usted una, señorita?

MERCEDES.— No, gracias.

ADELA.— ¿Cuándo va a quitar el pasamanos?

MERCEDES.— (*Inquieta.*) Señora, usted también... ¿No se da cuenta de que su marido lo necesita?

ADELA.— Nos han dado un susto de muerte.

MERCEDES.— Lo siento, no pensé que pudieran asustarse así. Nosotros sólo queríamos darles una agradable sorpresa.

ADELA.— No queremos salir más en televisión. Fue un error, la televisión lo coge todo, hasta lo que no debe. Llévense la barandilla y olvídense de nosotros.

MERCEDES.— No les entiendo, de verdad. Ustedes solicitaron la ayuda de mi programa porque necesitaban esa barandilla.

SEGUNDO.— Necesitábamos denunciar una situación injusta. Se lo dije, no quiero compasión. Mire usted, llevo nueve años sin salir, estudiando leyes para defenderme, luchando por una causa, usted no puede llegar ahora con su cámara y su dinero y echarlo todo por tierra.

MERCEDES.— No sé qué decirles...

SEGUNDO.— Llame y diga a sus técnicos que se lleven eso.

MERCEDES.— (*Reaccionando.*) ¿No le parece incoherente su actitud?

SEGUNDO.— No, señorita.

MERCEDES.— Usted no quiere resolver su problema. Usted lo que quiere es vengarse de una persona. Ésa no es una actitud muy ética.

SEGUNDO.— Ya le he explicado mis razones. Parece que no quiere escucharme.

MERCEDES.— Creo que le estoy empezando a entender.

SEGUNDO.— Entonces le ruego que deje las cosas como estaban hace una semana.

MERCEDES.— No puedo. Necesito cerrar el programa de mañana con el final de su reportaje.

SEGUNDO.— ¡Yo no soy un reportaje! ¡Soy un ser humano!

MERCEDES.— (*Intentando adoptar un tono cordial.*) Escuche, quiero ayudarlo, de verdad. Me parece que es usted un cabezota. ¿Por qué no se olvida de viejos rencores y piensa en la plaza de las palomas, en los niños jugando, en la primavera...?

SEGUNDO.— (*Tocando los papeles.*) Le aseguro que pronto lo voy a conseguir.

MERCEDES.— Le propongo una cosa: usted lo que quiere es que sea su casera la que pague la barandilla, ¿no es así?

SEGUNDO.— Así es.

MERCEDES.— Yo le propongo terminar el reportaje. Usted se viste, se pone guapo, su mujer también, y salen los dos, juntos y felices, a la calle. Y yo le prometo que después voy a ver a su casera y consigo que me pague la factura del pasamanos. Y le prometo, también, que se la traigo aquí con su firma. ¿Qué le parece?

ADELA.— No me fío de esa mujer.

MERCEDES.— Confíe en mí.

SEGUNDO.— Ya tampoco me fío de usted.

ADELA.— ¿Cuándo van a quitar ese pasamanos?

MERCEDES.— (*Haciendo caso omiso a* ADELA.) Le aseguro que tengo los medios para que esa mujer...

SEGUNDO.— Oiga, señorita Mercedes, por qué no se busca otro caso. Hay muchos problemas en el país, en esta ciudad, en este barrio. ¿Por qué se empeña en resolver el mío?

MERCEDES.— Porque usted me lo pidió. Y además... Yo soy una profesional, y cuando empiezo un trabajo tengo que acabarlo.

SEGUNDO.— No la entiendo.

MERCEDES.— No tengo otra cosa preparada para el final del programa de mañana, pero además, y sobre todo, su caso interesa a la audiencia. Está anunciado el final feliz. Así pensaba yo que iba a suceder, así lo organicé para que sucediera. No puedo defraudar ni a mi director ni a mi público.

SEGUNDO.— ¿Está anunciado el final feliz?

MERCEDES.— Sí, ¿no han visto el avance de mi programa?

SEGUNDO.—(*Perplejo, niega con la cabeza.*) ¿Qué quiere de mí?

MERCEDES.— Me gustaría filmar el momento en que usted pisa la calle después de nueve años. La bajada por las escaleras agarrado al pasamanos.

SEGUNDO.— Eso nunca. Le he dicho que no lo voy a tocar hasta que no lo ponga quien tiene la obligación de hacerlo. He decidido continuar por la vía legal.

ADELA.— Déjelo en paz, ¿no se da cuenta de que es su vida?

MERCEDES.— De lo que me doy cuenta es de que usted no quiere salir a la calle, a usted le importa un bledo la barandilla.

SEGUNDO.— (*Alterado.*) Señorita, no puedo renunciar ahora a mis derechos. Ese pasamanos es un derecho. No quiero sus limosnas.

MERCEDES.— (*Después de una pausa.*) Está bien, me adaptaré a lo que ha ocurrido. Terminaré el reportaje con un final... menos feliz.

SEGUNDO.— ¿A qué se refiere?

MERCEDES.— Contaré la verdad: que usted, en realidad, no quería el pasamanos.

SEGUNDO.— Eso es mentira.

MERCEDES.— Bueno, tengo imágenes filmadas de usted, Segundo, golpeando la barandilla con la muleta. Queda claro que no la quiere. En fin, tampoco es una mala solución. Claro que yo lo siento por usted, me hubiera gustado tanto verle en la calle, verle contento...

SEGUNDO.— Usted no puede sacar esas imágenes.

MERCEDES.— ¿Por qué? Son imágenes reales. Suyas. Y no las he tomado dentro de su casa.

SEGUNDO.— Eso me puede perjudicar, ¿no lo entiende? Estoy en medio de un proceso jurídico interminable. Un proceso que podría concluir en unos meses. Un proceso que yo voy a ganar. Si saca esas imágenes por televisión...

MERCEDES.— No tienen por qué influir. Puede usted explicar por qué lo hizo.

SEGUNDO.— (*Visiblemente nervioso.*) Pero, podrían jugar en mi contra. La casera podría utilizarlas...

ADELA.— (*A* MERCEDES.) Entonces, ¿cuándo van a quitar el pasamanos?

SEGUNDO.— ¡Ponte el «sonatón», Ada! (*Pidiéndoselo con la mirada.*) ¡Póntelo! (ADELA *lo hace y mira a* MERCEDES.)

MERCEDES.— Ahora no estábamos hablando del pasamanos.

ADELA.— Nos ha dado un susto de muerte.

MERCEDES.— Lo siento, pero no entiendo por qué tanto miedo.

ADELA.— Esa mujer nos ha amenazado antes. Nos ha querido asustar muchas veces.

SEGUNDO.— (*A* MERCEDES, *angustiado.*) No puede sacar esas imágenes. Podrían hacerme perder el pleito.

MERCEDES.— Usted elige.

SEGUNDO.— ¿Elegir? Usted no me deja elegir. Ninguna de sus opciones es aceptable. Por favor, se lo ruego, deje las cosas como estaban. Quite ese pasamanos y olvídese...

MERCEDES.— (*Interrumpiéndole. Con seguridad.*) ¿Y qué les digo yo a mis espectadores? ¿Cómo justifico el gasto de ese dinero que ellos aportaron?

SEGUNDO.— (*Aturdido.*) No sé...

MERCEDES.— Si dejo su caso en el aire puede haber sospechas.

SEGUNDO.— ¿Sospechas?

MERCEDES.— Claro. Y yo no puedo jugarme mi puesto de trabajo. La vida está muy dura para todos, ¿comprende?

SEGUNDO.— (*Acorralado.*) No sé... No comprendo por qué se ha complicado todo tanto. No sé...

ADELA.— ¿Qué pasa?

SEGUNDO.— (*Desesperado.*) Quiere sacarme por televisión golpeando el pasamanos.

MERCEDES.— No quiero, Segundo. Usted me está obligando...

ADELA.— Señorita, escúcheme. Usted es joven, tiene salud, tiene muchas cosas en la vida. El mundo está lleno de casos horribles que usted puede coger con su... televisión. Nosotros, mi marido, defiende una sola causa. Una única causa, ¿entiende? Tiene que dejarle hacerlo.

MERCEDES.— Dígame, Segundo, dígame exactamente lo que quiere.

SEGUNDO.— Ella, la casera de este piso, es la que tiene que poner el pasamanos. Por ley.

MERCEDES.— Está bien, vamos a llegar a un acuerdo. Voy a conseguir que sea Antonia López la que pague la barandilla. Usted, además, escribirá el documento que quiera y yo, yo voy a hablar con ella y se lo traigo firmado.

SEGUNDO.— No podrá.

MERCEDES.— Claro que sí. Conozco a esa mujer, la entrevisté. Vive en este barrio, por cierto.

ADELA.— Desgraciadamente sí.

MERCEDES.— Yo conseguiré que cumpla con su obligación. Su casera me abonará el importe íntegro del pasamanos. Todo firmado y comprobado, ¿qué le parece?

SEGUNDO.— (*Encogiéndose de hombros.*) No creo que ella acepte.

MERCEDES.— (*Con renovada energía.*) Escriba usted mismo el documento.

SEGUNDO.— (*Atropellado y confuso.*) ¿Documento?

MERCEDES.— Sí, escriba en un papel lo que quiera que firme su casera.

SEGUNDO.— Espere, déjeme pensar. (*Sin recursos.*) Ada, acércame la máquina de escribir. (*Mete un folio y piensa. Escribe algo, duda. Saca el folio y lo rompe. Mete otro folio y comienza a escribir. Acaba, saca el folio y lo deja encima de la mesa. Encogido dice:*) Necesito ir al retrete.

ADELA.— (*Ayudándole a levantarse.*) ¿Estás bien?

MERCEDES.— ¿Ha terminado el documento, Segundo?

SEGUNDO.— Sí, creo que sí. (*Se dirige con dificultad hacia el retrete.*)

MERCEDES.— (*Leyendo en alto.*) «Yo, Antonia López García, propietaria del piso que habita Segundo Bueno Antón, en calidad de arrendatario, sito en la calle del Laurel número cuatro, estoy conforme con pagar la barandilla de la escalera de dicho inmueble, reconociendo que es a mí a quien corresponde la obligación legal del pago e instalación de la misma. Y lo firmo en Madrid...» Bien, me parece muy correcto.

SEGUNDO.— Lo siento, tengo que pasar...

MERCEDES.— Le voy a traer esto firmado, Segundo. (SEGUNDO *entra en el retrete.* ADELA *le ayuda a cerrar la puerta.*) Bueno, Adela, yo voy a hacer esta pequeña gestión. Mientras, ustedes se van arreglando...

ADELA.— Le ha hecho daño.

MERCEDES.— Ahora todo se va a arreglar, ya lo verá.

ADELA.— Es usted una inconsciente.

MERCEDES.— Escúcheme un momento, el pasamanos está instalado y por fin van a comenzar una nueva vida. Creo que su marido está un poco impresionado, es lógico, tantos años aquí... Pero usted debería ayudarlo.

ADELA.— No necesito sus consejos, señorita, gracias. ¿Cómo va a conseguir la firma?

MERCEDES.— Eso es cosa mía.

ADELA.— Él conoce la firma de esa mujer como la suya propia. No intente engañarle porque...

MERCEDES.— Ella va a firmar. Le doy mi palabra.

ADELA.— Que Dios nos ayude.

MERCEDES.— (*Guardando el documento en su bolso.*) Me voy. (*Mira su reloj.*) No pensé que habría tantas complicaciones. Prepárense, vuelvo pronto.

(ADELA *le abre la puerta.* MERCEDES *sale.* ADELA *espera a que* MERCEDES *se haya ido y sale para mirar el pasamanos. Se mueve, da vueltas, reflexiona. De pronto toma una decisión y entra en su casa.*)

ADELA.— (*Murmurando.*) Segundo, Segundo... Lo único que importa es él... (*Golpea la puerta del retrete.*) Segundo, ya se ha ido. Segundo, ¿me oyes? (*Asustada.*) ¿Segundo? (*Se abre la puerta lentamente.* SEGUNDO *aparece y mira a su alrededor.* ADELA, *con fuerza y sonriendo.*) Segun, mírame. Hoy, tú y yo, vamos a ver juntos la primavera.

(*Se va haciendo el oscuro.*)

ÚLTIMA ESCENA

(*Son alrededor de las doce del mismo día.* SEGUNDO *y* ADELA, *de punta en blanco, echan una partida de cartas.*)

ADELA.— Roba carta, vamos, que te toca robar a ti... (SEGUNDO *lo hace.*) Tira. (SEGUNDO *lo hace de forma automática.*) Chico, menuda suerte con el pinte.

SEGUNDO.— (*Soltando las cartas.*) Vamos a dejarlo, Ada.

ADELA.— (*Con un tono animado.*) ¿Qué te parece si practicamos? Lo mismo ahora no podemos bajar ni con el pasamanos. (*Se ríe.*) ¿Te imaginas? Lo mismo ahora necesitamos dos pasamanos. Entonces, vaya lío.

SEGUNDO.— No viene. Esa mujer no va a pagar.

ADELA.— Que sí, hombre, pues menudas mañas tiene la señorita periodista.

SEGUNDO.— Está tardando demasiado.

ADELA.— No seas impaciente. Qué, ¿practicamos un poquito?

SEGUNDO.— ¡Adela...!

ADELA.— Hemos quedado en pensar en nosotros, ¿no? Que zurzan al mundo, que lo zurzan. Vamos a rehacer nuestra vida, Segun. Hoy, hoy mismo vamos a tomarnos un café con leche en la terraza de la esquina.

SEGUNDO.— Tiene que traer el talón, el talón bancario firmado.

ADELA.— ¿Vas a ponerte el anillo? El otro día te salió fácilmente con jabón. ¿Te lo doy?

SEGUNDO.— Dame los papeles.

ADELA.— ¿Papeles? ¿Para qué? Vamos, Segun, me has prometido dejarlo ya, me has prometido pensar sólo en nosotros, en ti y... en mí. (*Le coge de la mano.*)

Yo voy a bajar a tu lado, los dos juntos, como si fuera una escalera nupcial. Dame el dedo. (SEGUNDO *lo hace.* ADELA *le introduce el anillo.*)

SEGUNDO.— Ada.

ADELA.— ¿Qué?

SEGUNDO.— Tenías tú razón, fue un error. Me equivoqué llamando a la televisión. ¿Son los jóvenes así? ¿Son así los jóvenes de ahora?

ADELA.— ¿Son cómo?

SEGUNDO.— Como la señorita Mercedes. Hacía tanto que no hablaba con un joven. Sólo sé cómo está el mundo por la televisión, y la televisión... miente como una canalla.

ADELA.— ¿Quieres una manzanilla? ¿Manzanilla con un chorrito de anís?

SEGUNDO.— ¿Y si no paga?

ADELA.— Pagará, tú tranquilo, pagará. ¿Sabes lo que estoy pensando? Que esta misma tarde nos vamos a acercar hasta la frutería nueva. Es un chico muy majo. Fíjate, hasta podrías ofrecerte para echar una mano... Podrías llevarle la caja.

SEGUNDO.— Estás muy guapa. (ADELA *le sonríe complacida.*)

(*Entra* MERCEDES *con* RICARDO.)

MERCEDES.— Prepáralo todo, rápido.

RICARDO.— ¡Vaya día más raro, colega!

MERCEDES.— (*Sube y llama a la puerta de* SEGUNDO *y* ADELA.) Soy yo. (ADELA *abre.* MERCEDES *entra como un torbellino.*) Buenas noticias. (*Extiende el papel a* SEGUNDO.) Aquí está.

SEGUNDO.— (*Lo mira detenidamente.*) Sí, es su firma. ¿Cómo lo hizo?

MERCEDES.— Esa mujer ya no tenía fuerza moral... ni de ningún tipo.

SEGUNDO.— Pero ha tardado usted.

MERCEDES.— Sólo lo necesario. Su casera, Segundo, se rindió ante mis argumentos.

SEGUNDO.— ¿Sus argumentos?

MERCEDES.— Y los suyos, por supuesto.

SEGUNDO.— ¿Y cómo le pago?

MERCEDES.— Pues... Bueno, evidentemente no tenía el dinero en efectivo. Pero... va a realizar una transferencia inmediata a nuestra cuenta.

SEGUNDO.— (*Que comienza a negar con la cabeza.*) Eso no es en lo que habíamos quedado. Eso no...

MERCEDES.— (*Interrumpiéndole. Tajante.*) No voy a discutir más con usted. Le digo la verdad y tiene que creerme. Segundo, no tengo todo el tiempo de mi vida para dedicárselo.

ADELA.— (*Con el documento en la mano.*) Ahora sí se ha rendido. Ésta es tu verdadera victoria. ¿No te das cuenta? (SEGUNDO *mira a su mujer derrotado, sin aliento para hablar.*)

MERCEDES.— ¿Están preparados?

ADELA.— Sí.

MERCEDES.— (*A* SEGUNDO.) Enhorabuena.

(MERCEDES *abre la puerta y sale. La escalera ya está iluminada.* SEGUNDO, *trémulo y callado, no se decide.*)

ADELA.— Vamos, Segun. Estás muy elegante. Sólo te falta la corbata.

SEGUNDO.— (*Agachando la cabeza.*) Pónmela. (ADELA *lo hace.*)

(SEGUNDO *llega hasta el borde de la escalera y mira el pasamanos.*)

ADELA.— ¿Te ayudo?
SEGUNDO.— No, tengo que hacerlo solo. Tú a mi lado.

(SEGUNDO *parece no atreverse a tocar la barandilla. De pronto suspira y suelta una muleta, la de la mano con la que entonces se agarra fuertemente al pasamanos.*)

MERCEDES.— (*Desde abajo.*) ¿Necesita ayuda?
SEGUNDO.— No.

(SEGUNDO *parece no poder bajar el escalón. Hay un silencio tenso. Todos le miran. El viejo prueba a agarrarse de otra forma. Sus brazos tiemblan. El enorme esfuerzo se trasluce en su rostro. Por fin, consigue bajar un escalón.*)

SEGUNDO.— (*A* MERCEDES.) Ya está. Puede comenzar a filmar cuando quiera.
MERCEDES.— (*Que hace un gesto al operador.*) Gracias, Segundo. Quiero que sepa que a pesar de todos los problemas, o quizá también por eso, estoy emocionada. Estoy muy emocionada y feliz de ser testigo de su primera salida a la calle.

(SEGUNDO, *sin escucharla, sigue bajando las escaleras muy lentamente. A su lado, como un hada, su mujer. Cuando quedan apenas cuatro escalones, levanta la cabeza jadeante. Mira a su mujer con los ojos idos.*)

ADELA.— Segundo, ¿estás bien?
SEGUNDO.— Nos han engañado, Ada.

(SEGUNDO, *súbitamente, suelta la otra muleta y se agarra con las dos manos a la barandilla. Va resbalando y cae suavemente al suelo.* ADELA *intenta sujetarlo y, sin fuerza, cae, con su levedad, encima de él.*)

ADELA.— ¡Segun! ¡Segundo! Dios mío...
MERCEDES.— (*A* RICARDO.) ¡Corta! ¡Corta!

(RICARDO *lo hace y corre hacia* SEGUNDO. MERCEDES *se queda quieta, paralizada.*)

ADELA.— (*Agarrando la cabeza de* SEGUNDO.) ¿Qué te pasa? ¡Habla...! (*Lo suelta con cuidado, corre hacia su bolso y saca un frasco de pastillas.*)
RICARDO.— (*Intentando reanimar a* SEGUNDO.) ¡Abuelo...! ¡Abuelo...! (*Le toma el pulso y mira a* MERCEDES *horrorizado. Baja hacia ella.*)
MERCEDES.— ¿Qué le pasa? ¿Qué le pasa?
RICARDO.— (*Negando con la cabeza.*) No tiene pulso... Creo que está... fiambre, tía. Voy a llamar a una ambulancia. (*Comienza a recoger los focos y la cámara.*)
MERCEDES.— (*Rompiendo a llorar.*) ¡No...! ¡No puede ser...!
ADELA.— (*Mientras mete una pastilla en la boca de su marido.*) Vamos, vamos, vamos...
MERCEDES.— (*Acercándose a* ADELA.) ¿Qué puedo hacer? ¿Qué hago yo?
ADELA.— Déjeme. No se acerque. Ya no puede hacer nada.
MERCEDES.— (*Paralizada.*) ¡Dios mío... No puede ser! Dios mío, ¿qué hago?
ADELA.— Váyase de aquí, se lo ruego. Váyase para siempre.

(MERCEDES *coge su carpeta e histérica sale corriendo hacia la calle.*)

ADELA.— (*Masajeando e intentando reanimar a su marido.*) Vamos, cariño, vamos... ¿Qué pasa? ¿Qué pasa? (*Comienza con mucho cuidado a intentar estirarle las piernas.* SEGUNDO *emite un ligero quejido.* ADELA *no lo oye y sigue manipulándolo.*)

SEGUNDO.— (*Gritando.*) ¿Qué haces, Ada? ¿Qué coño haces?

ADELA.— (*Levanta la cabeza y sonríe feliz. Se acerca al rostro de* SEGUNDO.) ¡Segundo...! ¡Qué susto me has dado! ¿Cómo estás?

SEGUNDO.— (*Entre quejidos.*) Ayúdame a sentarme. ¡Ay, mi espalda...!

ADELA.— Te ha dado un mareo, ¿verdad? Ya te puse la pastilla en la boca...

SEGUNDO.— (*Intentando incorporarse.*) ¡Ayúdame, Ada...!

ADELA.— Sí, claro... (*Lo hace con dificultad.* SEGUNDO *consigue quedar sentado.*) ¿Te has hecho daño? ¿Te duele algo? Dime.

SEGUNDO.— (*Tocándose las piernas mira hacia el rellano.*) ¿Dónde están?

ADELA.— (*Intentando subirle el pantalón.*) A ver... Lo mismo te has hecho una herida. El caso es que el pantalón no se ha roto. ¿Te duele? A ver, mueve las piernas...

SEGUNDO.— ¡Estate quieta, Ada! Claro que me duelen las piernas. Esto es lo que me faltaba a mí, un golpe así...

ADELA.— Te caíste muy despacio, te dio tiempo a agarrarte bien, te caíste como de la mano de Dios.

SEGUNDO.— ¿Dónde están?

ADELA.— ¿Eh?

SEGUNDO.— ¿Dónde están los periodistas?

ADELA.— (*Sonriendo con malicia.*) Se han ido, Segun. Creo que se han creído que estabas muerto. ¡Si les hubieras visto la cara! La señorita esa no vuelve por aquí ni aunque pierda el empleo para toda su vida.

SEGUNDO.— Ha sido el pasamanos.

ADELA.— ¿Eh?

SEGUNDO.— (*Levantando la voz.*) La culpa, la culpa ha sido del pasamanos. Yo sentí el mareo, Ada, ese mareo que me da a veces, lo del corazón. ¿Me oyes? (ADELA *asiente.*) Intenté agarrarme fuerte al pasamanos. Entonces, lo hice y noté que se me empezaban a resbalar los dedos. Era imposible sostenerse en él. Está como encerado, como si le hubieran untado con grasa. Ha sido una trampa, Adela. Toca, tócalo, ya verás lo que te digo.

ADELA.— La otra vez te caíste en el escalón anterior, ¿te acuerdas? A cinco para llegar al rellano. La otra vez casi me aplastas, Segun. Hoy me he caído yo encima. Menos mal que peso poco, pobrecito...

SEGUNDO.— (*Reparando en la oreja de* ADELA.) ¿Y el «sonatón», Adela? (*Sube la voz.*) ¿Dónde está tu aparato?

ADELA.— Ah, lo perdí. Creo que ha sido al caerme. Total, no me sirve para nada.

SEGUNDO.— ¡Qué manía...! Búscalo, no puede andar muy lejos.

ADELA.— Hemos tenido mucha suerte, Segun. A nuestra edad, una caída así... Menos mal que yo tengo los huesos de goma.

SEGUNDO.— (*Subiendo la voz.*) ¡Busca el «sonatón», Adela, quiero que oigas bien!

ADELA.— (*Lo hace sin mucho convencimiento.*) No lo veo...

SEGUNDO.— (*Hablando alto.*) Mira en las esquinas de los escalones, en el rellano...

ADELA.— Ah, aquí está. Seguro que con el golpe se ha estropeado.

SEGUNDO.— Póntelo. (ADELA *lo guarda en su bolso.*) ¡Adela, coño, póntelo!

ADELA.— Bueno, hombre, vaya genio... Eso es síntoma de salud. (*Se pone el «sonatón» en la oreja.*) Ya está, ¿qué pasa?

SEGUNDO.— Ayúdame a levantarme, tenemos que irnos de aquí inmediatamente. Estamos en peligro.

ADELA.— No te preocupes, Segun, los de la televisión no van a volver. Ya me encargué yo...

SEGUNDO.— Mira, toca, toca el pasamanos. Está resbaladizo, alguien le ha echado grasa.

ADELA.— (*Tocándolo.*) Pues yo no noto nada.

SEGUNDO.— Tócalo bien.

ADELA.— Está nuevo, recién barnizado, nada más.

SEGUNDO.— Hazme caso, Ada, esto ha sido cosa de la patrona. Otra trampa.

ADELA.— (*Lo mira con largueza, comprendiendo.*) Estás asustado.

SEGUNDO.— Ha querido acabar conmigo. Pero no lo ha conseguido. Todavía estoy fuerte, más de lo que ella se cree. Vamos, ayúdame a levantarme. Vámonos de aquí.

ADELA.— Está bien. (*Le ayuda.*) Agárrate a la barandilla con la otra...

SEGUNDO.— Nunca. (ADELA *le mira preocupada.*) Olvídate de que aquí hay un pasamanos. Olvídate de todo. Esto es como si hubiese sido un sueño, ¿de acuerdo?

ADELA.— (*Ayudándolo a levantarse.*) Ya está. (*Después de una pausa.*) Sólo cuatro escalones y estamos en la calle.

SEGUNDO.— ¿Qué dices, Ada? ¿Te has vuelto loca? Vamos para arriba.

ADELA.— ¿Por qué? ¿Te sientes mal? ¿Te duele algo?

SEGUNDO.— Las piernas y la espalda. Pero, además, esto no se va a acabar así como así. Voy a llamar al abogado inmediatamente y nos vamos a poner manos a la obra. Esto no se ha hecho como manda la ley. Vamos para arriba, Ada, han querido engañarnos pero les ha salido el tiro por la culata.

ADELA.— Sólo quedan cuatro escalones para la calle, Segun. Nunca habíamos estado tan cerca como hoy. Anda, vamos para abajo.

SEGUNDO.— ¿Qué dices, mujer? ¿Salir ahora? Salir ahora sería renunciar a mis derechos. ¿No te has dado cuenta del chantaje que me ha intentado hacer la periodista?

ADELA.— Sí. Pero le hemos estropeado el reportaje.

SEGUN.— ¿Te has creído acaso que ha pagado esto la casera? ¿Te lo has creído?

ADELA.— No, no lo ha pagado ella, ya lo sé. Pero ha bajado la cabeza como un conejo. Ha firmado ese papel y se ha humillado ante ti. ¿Qué más quieres Segundo?

SEGUNDO.— Quiero ganar la batalla. Necesito esa victoria.

ADELA.— Has ganado ya, has ganado moralmente que es lo importante, ¿no te das cuenta?

SEGUNDO.— Vamos para arriba. Ayúdame, no pienso tocar ese pasamanos otra vez.

ADELA.— (*Después de una pausa.*) No. Yo no te voy a ayudar a subir a casa.

SEGUNDO.— (*Incrédulo.*) ¿Qué dices, Ada?

ADELA.— Yo no te voy a llevar al encierro otra vez. (*Baja un escalón.*)

SEGUNDO.— Ven aquí, déjame apoyarme en ti. ¡Vamos para arriba!

ADELA.— Son sólo cuatro escalones, cariño, cuatro pasos y la puerta de la calle. Me habías prometido ir conmigo hasta la frutería del chico. ¡Tienes que hacerlo!

SEGUNDO.— (*Atemorizado.*) Fue un momento de debilidad, me sentía derrotado. Esa horrible mujer, la cámara...

ADELA.— Ya no están. Nadie va a grabar nuestra salida. Estamos solos, solos como siempre. Hemos conseguido la barandilla, hemos conseguido que la patrona nos dé la razón. Esto ya no tiene marcha atrás. Yo quiero, necesito. Yo te necesito ahí afuera. A mi lado.

SEGUNDO.— No puede ser.

ADELA.— ¿Por qué?

SEGUNDO.— No me responden las piernas. No me responden.

ADELA.— Claro que sí, tienes que intentarlo.

SEGUNDO.— No lo entiendo. Tú nunca me habías fallado, Ada.

ADELA.— Tú a mí sí, marido.

SEGUNDO.— (*Tembloroso.*) Yo no puedo... Tengo las piernas muertas... No puedo.

ADELA.— No te pido que puedas, te pido que lo intentes. Con eso me conformo.

SEGUNDO.— ¿Por qué? Dame una razón.

ADELA.— Ya te la he dado.

SEGUNDO.— Otra.

ADELA.— Tú las sabes todas. (*A* SEGUNDO *comienzan a caérsele las lágrimas en silencio.* ADELA *se le acerca y lo acaricia.*) Yo sé... sé lo que sientes. Pero tú empezaste esto, acuérdate. Tú llamaste a la televisión, tú...

SEGUNDO.— Porque no sabía... Yo no sabía...

ADELA.— Calla. Tú los llamaste porque siempre has sido un hombre valiente.

SEGUNDO.— Hasta que me fallaron las piernas.

ADELA.— (*Niega con la cabeza.*) Yo te pido ahora, por el tiempo que nos queda, que vuelvas a ser... que le eches... cojones Según.

SEGUNDO.— ¡Ada!

ADELA.— Cojones, sí, y que bajes esos cuatro escalones conmigo.

SEGUNDO.— No puedo, Ada, mira, me fallan también las manos.

ADELA.— Sólo hasta la puerta de la calle. Hasta ahí. Bajamos, la abrimos, miras hacia fuera, ves la acera, y si no quieres salir volvemos a casa.

SEGUNDO.— (*Lívido.*) ¿Me lo prometes?

ADELA.— Te lo prometo.

SEGUNDO.— (*Sin voz.*) Vamos.

ADELA.— Gracias. Como lo has hecho antes. (*Le da la muleta.*) Ibas muy bien, muy bien.

SEGUNDO.— (*Mira el pasamanos con desconfianza. Saca un pañuelo del bolsillo y lo limpia con empeño.* ADELA *lo mira y sonríe.*) Así está mejor. Ada, ponte a mi lado.

ADELA.— (*Haciéndolo.*) Vamos.

(SEGUNDO *comienza a bajar los escalones que le faltan con un gesto de temblor.*)

ADELA.— (*Contando los escalones.*) Tres... Dos... Uno... Ya está. Vamos.

(*Caminan hacia la puerta.* ADELA *la abre lentamente. Un tímido haz de luz primaveral inunda el cuerpo de los viejos. Hay una pausa larga, un silencio tenso.* SEGUNDO *mira a su mujer, se quita la raída corbata y la guarda en el bolsillo de la chaqueta.*)
(*Mientras, se va haciendo el oscuro.*)

FIN

COLECCIÓN ESPIRAL
SERIE TEATRO

84-245-0717-7, 128 págs.

182 *El cerco de Leningrado. Marsal Marsal*
JOSÉ SANCHIS SINISTERRA

84-245-0711-8, 128 págs.

178 *Tres dramaturgias*: Molly Bloom (*Ulises*), Bartleby, el escribiente (de HERMAN MELVILLE) y la Maga (*Rayuela*) saltan a escena de la mano de JOSÉ SANCHIS SINISTERRA.

La SERIE TEATRO recoge en la COLECCIÓN ESPIRAL obras de teatro contemporáneo de autores principalmente españoles. Se publican dos piezas teatrales por libro, excepto con las especialmente cortas o en los estudios de un tipo de teatro concreto.

Formato: 20,3x11,3cm

84-245-0380-5, 144 págs.

84-245-0342-2, 176 págs.

72 *Tú estás loco, Briones. Fuiste a ver a la abuela??? Vade Retro!* 2ª ed.
83 *Esta noche gran velada. Caballito del diablo.* 3ª ed.
FERMÍN CABAL hace de lo cotidiano arte con la soltura característica de los clásicos. También en el número 173.

NOVEDAD

84-245-0714-2, 206 págs.

NOVEDAD

84-245-0740-1, 256 págs.

179 *Panorámica del teatro español actual*
189 *Teatro de la España demócrata: Los noventa*
Los hispanistas CANDYCE LEONARD Y JOHN P. GABRIELE ceden la palabra a cinco dramaturgos en cada tomo para que a través de entrevistas y una de sus obras nos den una visión del teatro español en la última década del siglo XX.

COLECCIÓN ESPIRAL SERIE TEATRO

I.S.B.N. 84-245-0	Núm.	*Título*, AUTOR	PÁGS.
260-4	31	*El vodevil de la pálida, pálida, pálida rosa* MIGUEL ROMERO	264
243-4	39	*Teatro antropofágico: El convidado. El último gallinero. Las planchadoras* MANUEL MARTÍNEZ MEDIERO	216
246-9	41	*Para la voz: La Playa. La caída. Los matadores de hormigas,* SEVERO SARDUY	144
245-0	43	*El cero transparente. Ácido sulfúrico. El desguace,* ALFONSO VALLEJO	224
268-X	49	*Monólogo para seis voces sin sonido. Intratonos. A tumba abierta*, ALFONSO VALLEJO	184
296-5	55	*La mueca. El señor Galíndez. Telarañas* EDUARDO PAVLOVSKY	200
295-7	56	*La novia. Lisístrata. Las hermanas de Búfalo Bill.* 2ª ed., MANUEL MARTÍNEZ MEDIERO	176
313-9	63	*Colón. La asamblea de las mujeres* ALBERTO MIRALLES	192
317-1	65	*El buey de los cuernos de oro. El país de la luna grande. Una casita roja,* APULEYO SOTO	128
316-3	66	*Doña Noche y sus amigos. El circo. Cuento de brujas*, APULEYO SOTO	128
338-4	71	*Las bragas perdidas en el tendedero. Juana del Amor Hermoso,* MANUEL MARTÍNEZ MEDIERO	146
342-2	72	*Tú estás loco, Briones. Fuiste a ver a la abuela??? Vade Retro!* 3ª ed., FERMÍN CABAL	176
348-1	73	*Minotauro a la cazuela. Sala de no estar* JOSÉ LUIS ALEGRE	168
373-2	82	*La madre que te parió. Your mother!* JOSÉ LUIS ALEGRE	128
380-5	83	*Esta noche gran velada. Caballito del diablo.* 3ª ed. FERMÍN CABAL	144
422-4	93	*Monkeys. Gaviotas subterráneas* ALFONSO VALLEJO	176
424-0	94	*La fiesta de los locos. El trino del diablo* ALBERTO MIRALLES	136
408-9	95	*Aria por un papa español. Heroica del domingo* MANUEL MARTÍNEZ MEDIERO	192

SERIE TEATRO

I.S.B.N. 84-245-0	Núm.	*Título*, AUTOR	PÁGS.
482-8	112	*Españoladas* JOSÉ RICARDO MORALES	168
485-2	117	*Besos de lobo. Invierno de luna alegre* PALOMA PEDRERO	132
508-5	122	*Espacio interior. Week-End* ALFONSO VALLEJO	132
545-X	128	*Las hermanas de Búfalo Bill cabalgan de nuevo* MANUEL MARTÍNEZ MEDIERO	128
526-3	130	*Dramaturgas españolas de hoy.* 2ª ed. PATRICIA W. O'CONNOR	176
529-8	131	*Trilogía de los años inciertos* FERNANDO MARTÍN INIESTA	160
535-2	133	*Cámara lenta. El señor Laforgue. Pablo. Potestad,* EDUARDO PAVLOVSKY	160
556-5	136	*Teatro breve. El oculto enemigo del profesor Schneider,* CARMEN RESINO	176
546-8	138	*Hernán Cortés. Mientras Némesis duerme* JORGE MÁRQUEZ	160
557-3	140	*Una comida de trabajo. La alcoba de la reina* RAFAEL GORDON	112
558-1	141	*Los ciegos. La barraca de las maravillas maravillosas. Teatro de maniobras,* SABAS MARTÍN	144
573-5	143	*Del laberinto al treinta. Pares y Nines* JOSÉ LUIS ALONSO DE SANTOS	104
573-5	145	*Juego de espejos* FRANCISCO RUIZ RAMÓN	104
580-8	147	*Su nombre es Félix. El reinado de los lobos* GERMÁN UBILLOS	136
622-7	154	*Los eróticos sueños de Isabel Tudor* CARMEN RESINO	128
623-5	155	*Yo fui actor cuando Franco. Mañana, aquí, a la misma hora* IGNACIO AMESTOY EGIGUREN	144
643-X	158	*Casi una diosa. Historias íntimas del paraíso* JAIME SALOM	144
665-0	161	*Las Casas, una hoguera al amanecer. El corto vuelo del gallo,* JAIME SALOM	200

SERIE TEATRO

I.S.B.N. 84-245-0	Núm.	*Título*, AUTOR	PÁGS.
656-1	162	*Dionisio Ridruejo, una pasión española. ¡No pasarán! Pasionaria,* IGNACIO AMESTOY EGIGUREN	160
666-9	165	*Descripción de un paisaje. Fugaz* JOSEP MARÍA BENET	128
661-8	167	*La rana rosa. Los infortunios de una pobre huérfana. Billy escupe la muerte,* ALICIA GUERRA	192
684-7	171	*El despacho del Sr. Calleja. Salir en la foto* ANTONIO MARTÍNEZ BALLESTEROS	144
696-0	173	*Castillos en el aire. Travesía. Ello dispara* FERMÍN CABAL	176
708-8	176	*Los invitados. Tres casacas* JUAN PABLO ORTEGA	128
710-X	177	*La reina austríaca de Alfonso XII. Elisa besa la rosa,* IGNACIO AMESTOY EGIGUREN	176
711-8	178	*Tres dramaturgias: La noche de Molly Bloom* (Ulises de J. Joyce). *Bartleby, el escribiente* (Herman Melville). *Carta de la Maga a bebé Rocamadour,* (Rayuela), JOSÉ SANCHIS SINISTERRA	128
714-2	179	*Panorámica del teatro español actual (Lluïsa Cunillé, Juan Mayorga, Antonio Onetti, Itziar Pascual y Margarita Sánchez)* CANDYCE LEONARD Y JOHN P. GABRIELE	206
715-0	180	*Las largas vacaciones de Oliveira Salazar. El niño de Belén,* MANUEL MARTÍNEZ MEDIERO	192
716-9	181	*Las niñas de San Ildefonso. Spanish West* CARMEN RESINO	144
717-7	182	*El cerco de Leningrado. Marsal Marsal* JOSÉ SANCHIS SINISTERRA	128
718-5	183	*Jerusalén hora cero. Nueve brindis por un rey* JAIME SALOM	192
729-0	184	*Gernika, un grito. 1937* IGNACIO AMESTOY EGIGUREN	144
740-1	189	*Teatro de la España demócrata: los noventa (Ernesto Caballero, Ignacio del Moral, Alfonso Plou, Rodrigo García y Antonio Álamo)* CANDYCE LEONARD Y JOHN P. GABRIELE	256
744-4	190	*El gato Félix. Un marco incomparable* MANUEL MARTÍNEZ MEDIERO	160

SERIE TEATRO

I.S.B.N. 84-245-0	Núm.	*Título*, AUTOR	PÁGS.
751-7	192	*Teatro Canalla* FERNANDO MARTÍN INIESTA	128
752-5	193	*Vivir como perros. El marido breve* ANTONIO MARTÍNEZ BALLESTEROS	160
753-3	194	*Crujidos. Tuatú* ALFONSO VALLEJO	192
755-X	196	*Títeres de la luna. Hazme de la noche un cuento* JORGE MÁRQUEZ	128
773-8	197	*El teatro breve de Lidia Falcón* JOHN P. GABRIELE	176
782-7	202	*La hora del diablo. Situaciones* ANTONIO MARTÍNEZ BALLESTEROS	176
791-6	205	*Mujeres sobre mujeres: teatro breve español* *One-Act Spanish Plays by Women about Women* PATRICIA W. O'CONNOR edición bilingüe	256
792-4	206	*Teatro breve* ALBERTO MIRALLES	160
793-2	207	*El otro William. Un hombre en la puerta* JAIME SALOM	160
796-7	208	*Teatro breve* RAFAEL BELMONTE AGÜERA	192
800-9	211	*Romeo y Julieta se divorcian. Romancero secreto de un casto varón* ANTONIO MARTÍNEZ BALLESTEROS	192

Novedades:

I.S.B.N. 84-245-0	Núm.	*Título*, AUTOR	PÁGS.
807-6	212	*Obras completas (1965-1969). Vol. I* MANUEL MARTÍNEZ MEDIERO	464
808-4	213	*Obras completas (1970-1974). Vol. II* MANUEL MARTÍNEZ MEDIERO	432
809-2	214	*Obras completas (1975-1980). Vol. III* MANUEL MARTÍNEZ MEDIERO	432
810-6	215	*Obras completas (1980-1983). Vol. IV* MANUEL MARTÍNEZ MEDIERO	432
811-4	216	*Obras completas (1983-1987). Vol. V* MANUEL MARTÍNEZ MEDIERO	432

SERIE TEATRO

I.S.B.N. 84-245-0	Núm. *Título*, AUTOR	PÁGS.
812-2	217 *Obras completas (1987-1995). Vol. VI* MANUEL MARTÍNEZ MEDIERO	432
813-0	218 *Obras completas (1995-1998). Vol. VII* MANUEL MARTÍNEZ MEDIERO	448
814-9	219 *La realidad es otra. Amores adorables* JOSÉ MAESTRO	160
827-0	223 *Como un sueño de humo. Cuatro mujeres* ANTONIO MARTÍNEZ BALLESTEROS	160
829-7	224 *Promoción 95-99* RESAD	448
832-7	225 *Aquel pícaro Madrid. Más o menos amigas* JAIME SALOM	144
833-5	226 *Electra. Medea* FERMÍN CABAL	144
841-6	229 *Teatro breve 2* ALBERTO MIRALLES	192
843-2	230 *Ex, o la irrefrenable marcha del cangrejo. ¡Viva Cardona! Made in Spain* FERNANDO ALMENA	

84-245-0792-4, 160 págs.

206 *Teatro breve*
ALBERTO MIRALLES nos brinda estos apetitosos bocados del mejor teatro breve aderezados con su incisivo sentido del humor, también en los números 63, *Colón. La asamblea de mujeres* y 94, *La fiesta de los locos. El trino del diablo.*
Próximamente, *Teatro breve 2.*